AU-DELÀ DE LA RELIGION

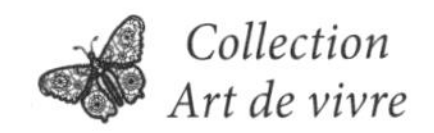

DANS LA MÊME COLLECTION

Jean Proulx, *La Chorégraphie divine*, 2008.
Jean Proulx et Jean-Guy Desrochers, *Doigts de lumière*, 2007.
Fernande Goulet Yelle, *Quand le temps se fait retailles*, 2007.
Yvon Laverdière, *Le Guide du parfait survivant*, 2006.
Édouard Bisson, *Mourir pour renaître à la vie*, 2006.
Jean Proulx, *Dans l'éclaircie de l'être*, 2004.
Fernande Goulet Yelle, *Bonne nuit la vie!*, 2004.
Jean Proulx, *Artisans de la beauté de monde*, 2002.

DU MÊME AUTEUR

L'Essence de la vie, Québec, Septentrion, 2007.
Au-delà de la religion, Québec, Éditions Arion, 2004, (épuisé).
Femme après le cloître, Montréal, Éditions du Méridien, 1995.
2e édition, Montréal, Éditions de l'As, 2005.
Les Voies spirituelles, Montréal, Éditions Bellarmin, 1982.
Esprit et vie, Montréal, Éditions Bellarmin, 1980.
Prière et rythme de vie, Montréal, Éditions Bellarmin, 1979.

Andréa Richard

AU-DELÀ DE LA RELIGION

Pour une spiritualité laïque en mouvement

Essai

Pour effectuer une recherche libre par mot-clé à l'intérieur de cet ouvrage, rendez-vous sur notre site Internet au www.septentrion.qc.ca

Les éditions du Septentrion remercient le Conseil des Arts du Canada et la Société de développement des entreprises culturelles du Québec (SODEC) pour le soutien accordé à leur programme d'édition, ainsi que le gouvernement du Québec pour son Programme de crédit d'impôt pour l'édition de livres. Nous reconnaissons également l'aide financière du gouvernement du Canada par l'entremise du Programme d'aide au développement de l'industrie de l'édition (PADIÉ) pour nos activités d'édition.

Directeur de collection : François Baby

Papillon identifiant la collection : Camille Proulx

Révision : Solange Deschênes

Mise en pages et maquette de la couverture : Folio infographie

Illustration de la couverture : d'après *Nicole Tremblay. L'œuvre de sable*, Septentrion, 2002, p. 24 et 26, détail d'une œuvre de Nicole Tremblay, *Océanique*, 1981, acrylique et sable sur toile. Illustration de la 4e : *Abacules*, 1980, acrylique et sable sur aggloméré.

Si vous désirez être tenu au courant des publications
des ÉDITIONS DU SEPTENTRION
vous pouvez nous écrire par courrier,
par courriel à sept@septentrion.qc.ca,
par télécopieur au 418 527-4978
ou consulter notre catalogue sur Internet :
www.septentrion.qc.ca

1300, av. Maguire
Québec (Québec)
G1T 1Z3

Dépôt légal :
Bibliothèque et Archives
nationales du Québec, 2009
ISBN 978-2-89448-572-9

Diffusion au Canada :
Diffusion Dimedia
539, boul. Lebeau
Saint-Laurent (Québec)
H4N 1S2

Ventes en Europe :
Distribution du Nouveau Monde
30, rue Gay-Lussac
75005 Paris, France

Membre de l'Association nationale des éditeurs de livres

À Gilles, mon époux,
dont la transparence,
la sagesse et l'humour
m'émerveillent !

Introduction

Depuis les années 1960, de plus en plus de gens abandonnent la religion. Plusieurs semblent penser qu'« on a jeté le bébé avec l'eau du bain ! » et sont d'avis que ça va plus mal que jamais ! Aurions-nous omis de remplacer la religion par quelque chose de plus gratifiant ?

Un grand débat sur le bien-fondé de l'enseignement religieux dans les écoles a cours actuellement. Vivre une spiritualité profane, une spiritualité de la vie, sans pour autant pratiquer une religion relève-t-il de l'impossible ? Et si la religion était remplacée, ce serait par quoi ? Les jeunes n'ont-ils pas besoin de balises, de références ? Qu'avons-nous à leur offrir ? Ont-ils vraiment besoin de modèles ? La doctrine ne pourrait-elle pas être remplacée par des valeurs ?

Ce sont ces sujets que j'aborde ici. Il s'agit aussi d'une réflexion logique sur de nouvelles voies à explorer, en vue d'une croissance personnelle et collective.

Afin de situer le processus transitionnel que je propose dans cet ouvrage destiné à ouvrir ces voies nouvelles vers la spiritualité de la vie, je m'arrête tout d'abord sur le passé historique de la religion catholique.

Tous ceux qui veulent améliorer la société pourront certainement apprécier cette réflexion qui contient un message axé sur le renouveau.

Au-delà de la religion fait encore l'objet d'une grande demande. Son deuxième tirage étant en rupture de stock, les éditions du Septentrion ont jugé bon d'en publier une troisième édition revue et augmentée.

Pour le lecteur qui a déjà pris connaissance de la première version – et pour tous les autres –, j'ai décidé d'y apporter un complément sur l'actualité, sur la complicité qui existe entre l'État et les autorités religieuses ainsi que la connivence qui favorise le maintien de l'extrémiste religieux. On appréciera donc d'obtenir une vision claire de ce problème, vision qui justifie amplement qu'on s'y penche sérieusement. Promouvoir des voies nouvelles à explorer…

J'écris donc pour tous ceux qui en ont assez de la stagnation qui les emprisonne, pour tous ceux qui se veulent solidaires d'une société toujours en mouvement et désireux d'aller de l'avant, vers un monde meilleur et vers une spiritualité vivante.

Quand je dénonce c'est pour informer – car, informer, c'est prévenir –, éduquer et faire évoluer dans un mouvement d'entraînement de spiritualité réaliste et dénudée du conformisme ; bref, au-delà de la religion. Je souhaite synchroniser mes pas à ceux d'une société en marche vers l'évolution, dans une conscience individuelle et universelle sans cesse en mouvement.

J'écris un peu de ce qui a été et de ce qui est, mais, surtout, je projette mes mots sur ce qui pourrait être… par l'énergie du mouvement.

Le mouvement se définit dans la latitude qu'il offre et dans le pouvoir qu'il confère de s'adapter ou de se réadapter. Le mouvement implique l'ouverture – à soi et aux autres; il permet l'écoute et le dialogue. Le mouvement, s'il avait été adopté par l'Église, aurait pu la garder jeune et capable de s'adapter. La plus grande erreur de l'Église a justement été d'avoir coulé la religion dans le ciment de ses dogmes et de ses doctrines une fois pour toutes! Oui, la grande erreur a été le refus de soumettre la religion au mouvement de l'esprit. On l'a enfermée dans l'inflexibilité de lois et de structures.

Cette erreur de base ne pourra être réparée que dans la mesure où l'on redonnera à l'esprit sa liberté et à la raison, la place qui lui revient.

Entre la loi, la raison et l'esprit

Dès les premiers siècles, les pères de l'Église ont dévié de l'orientation fondamentale que Jésus avait donnée à ses disciples. Jésus avait « unifié » ; ils ont « séparé » en remplaçant l'esprit par la lettre. Un profond fossé entre les fidèles et le clergé – entre les mains duquel reposait désormais toute l'Église – s'est creusé. Naissait alors l'Église-institution, au détriment de la philosophie enseignée par Jésus, spiritualité applicable au quotidien.

Les pères de l'Église, tel saint Jérôme, saint Augustin, saint Ignace d'Antioche, ainsi que leurs prédécesseurs et successeurs, se sont donc octroyé un pouvoir que Jésus lui-même ne s'était pas donné. Au lieu de mettre l'accent en priorité, comme le faisaient les apôtres à la suite de Jésus, sur l'amour, le bien (par définition : absence du mal), la justice, la charité, la patience, la bonté, la miséricorde, l'honnêteté et toutes les valeurs fondamentales, au lieu d'enseigner cette philosophie de Jésus, pour une vie intègre, juste et sage, ils s'érigèrent en « maîtres » et formèrent une « Église hiérarchique. » Par le fait même, le sens des valeurs diminua. La priorité fut d'instituer l'Église, en lui apposant des codes de morale, une théologie arbitraire, une doctrine, des dogmes, des commandements, des sacrements. Ainsi, la hiérarchie de l'Église empiéta sur les consciences, jusqu'à les dominer. Ce fut la mort lente de la conscience individuelle et des droits de la personne. On m'objectera que, dans l'Antiquité, la pensée individuelle et les droits de la personne tels que nous les connaissons aujourd'hui n'existaient pas, que la personne humaine n'était pas considérée à l'échelle universelle. Tout en mettant des nuances, je n'en disconviendrai pas. Cependant, si le système hiérarchique empiétant sur les anciennes sociétés leur imposait un régime dictatorial, l'Église fut loin de contribuer à l'élargissement de la conscience des peuples. À mesure que sa propre conscience prenait de l'expansion, elle assujettissait la masse dans la même proportion. Aujourd'hui, des exégètes savent que Dieu n'est jamais apparu à Moïse et que les tables de la loi ne sont qu'un symbole de la conscience. Certains font remonter les commandements de Dieu à Hammourabi, groupe de prêtres sumériens, au début de la civilisation.

L'institution profite de la force de la mouvance sociale pour s'imposer.

L'autoritarisme des prêtres sur les consciences se manifesta. Par exemple, la messe du dimanche est devenue obligatoire sous peine de péché mortel. Le commerce le dimanche, jour du Seigneur, fut interdit par l'Église.

Le langage courant de l'Église catholique démontre que les autorités pensent représenter Dieu et Jésus-Christ, et l'on peut se demander si c'est-ce de la prétention ou de la naïveté. N'est-ce pas s'approprier indûment et sans doute inconsciemment des honneurs ? Quand donc Dieu leur a-t-il demandé de le représenter ? Personne ne connaît Dieu. Il ne s'est jamais manifesté. Il n'est jamais apparu à qui que ce soit. Dieu a-t-il créé l'homme ? Ou l'homme a-t-il créé Dieu ? Il n'a jamais dit qu'Il existe ou qui Il est. On me dira sans doute que Jésus-Christ l'a révélé, qu'Il s'est lui-même identifié en tant que fils de Dieu, qu'Il a choisi les prêtres, que Dieu et Jésus-Christ, encore aujourd'hui, appellent des hommes à la prêtrise pour les représenter. Que faut-il en penser ? N'est-ce pas un langage subjectif qui peut tromper ceux qui les suivent ? Où est la soif de vérité ? Est-ce un besoin de conserver un pouvoir ? En quoi consiste le libre arbitre ? L'homme n'est-il pas né libre ? Ne peut-il choisir, au lieu de répondre à un appel ? Jésus nous a laissé une philosophie de la vie et des valeurs, non des doctrines, des sacrements et des dogmes. Il y a usurpation du nom de Dieu et du plus célèbre des prophètes, Jésus-Christ. Non, ce n'est pas possible que Jésus-Christ appelle les hommes et les femmes à pratiquer l'inverse de ce qu'il préconisait.

Voici une spiritualité de la vie qui doit supplanter les concepts d'une religion dogmatique et politique. Faisons, pour la situer et la justifier, une courte plongée dans l'histoire de notre religion catholique romaine, répandue à travers le monde.

Les trois premiers siècles après Jésus-Christ virent ceux qui se prétendaient ses disciples s'arroger le pouvoir relatif que leur conférait ce statut. Lorsque Constantin l'officialisa, l'Église renforça son statut d'institution centralisée. Faisant le plus souvent preuve d'autoritarisme, elle s'empara des pouvoirs politique, civil et religieux. Constantin consolida son empire en utilisant la suprématie de l'Église[1]. Aux IIe et IIIe siècles, il y eut huit schismes. Parce que Constantin craignait la division de l'empire, il convoqua le premier concile de Nicée, en l'an 325. Arius, prêtre d'Alexandrie, niait que le Christ était Dieu. Les grands débats des premiers siècles portaient sur la divinité du Christ, son humanité, sa mort et sa puissance divine. Tout cela était chaudement discuté et demeure des débats historiques encore d'actualité… quoique le pape Benoît XVI revienne en arrière en fermant le dialogue. Il prend des positions fermes et rétrogrades tel un retour à la confession individuelle, etc.

Aux IVe et Ve siècles, sous le règne de Julien Byzantin et des évêques, des désaccords profonds existaient en matière

1. À une époque plus récente, Duplessis imita la manière constantinienne pour se gagner les faveurs de l'électorat québécois, dont la ferveur religieuse était sans conteste le talon d'Achille.

dogmatique, christologique, théologique et doctrinale. C'est déjà là une preuve de l'incertitude des certitudes : le doute.

Ignace d'Antioche, évêque, fut le précurseur de ses pairs dans la conquête du pouvoir, pouvoir qu'il consolida en affirmant qu'un chrétien qui refusait de dépendre des évêques n'était pas chrétien.

Le pape Léon Ier le Grand (440-461), que l'Église présente comme le grand vainqueur qui défendit la capitale de l'Empire contre les Huns, a payé, en réalité, de lourdes rançons pour conserver son trône. Il fut un négociateur plutôt qu'un triomphateur et il dut capituler devant la force écrasante des Huns. Il est donc erroné de prétendre qu'il tira de cette victoire la légitimité lui permettant d'invoquer la « primauté » romaine, encore en vigueur aujourd'hui. Grégoire Ier le Grand (590-604) donna ses lettres de noblesse à la papauté, au cœur d'un empire romain décadent, infesté par la peste et vivant sous la menace des invasions. C'est à la suite du triomphe de la papauté dans la querelle des Investitures que l'empereur germanique Henri IV se rendit à Canossa (1077) pour accepter que les postes ecclésiastiques ne soient plus attribués que par le pape et les évêques, retirant ainsi cette prérogative à l'empereur. La lutte entre le « sacerdoce » et « l'Empire » rebondira à maintes reprises, au cours du deuxième millénaire. Après la Révolution française, au début du XIXe siècle, l'État en France et en

Italie se séparera de l'Église et reprendra le pouvoir. Aujourd'hui, à l'intérieur de l'institution de l'Église, le pouvoir n'est réservé qu'aux ecclésiastiques. Les laïcs réclament le partage de ces pouvoirs.

À partir du XIIe siècle et jusqu'au XVIIIe siècle, il y eut l'Inquisition. L'Église n'était pas solide parce qu'elle était contestée. Le pape réunit alors les théologiens pour renforcer l'institution de l'Église. Ils prirent les grands moyens pour asseoir leur pouvoir ! Agissant contre l'Évangile dont ils se réclamaient, ils éliminèrent ceux qu'ils considéraient comme leurs ennemis. Les dominicains furent mandatés par le pape pour anéantir les hérétiques. Même le roi de France obéissait au pape. Les croisades furent organisées, les hérétiques maltraités, pendus, tués. Avec la bénédiction du pape, les rois s'emparèrent de leurs terres et de leurs biens. Avec le « Bras séculier », l'État et la religion étaient de connivence.

Les évêques prétendent qu'ils possèdent un pouvoir conféré par Dieu. Où et quand Dieu le leur a-t-il confié ? Je serais plus encline à croire qu'ils ont imité en cela Ignace d'Antioche. La hiérarchie ecclésiastique édifiée par les pères de l'Église ne s'oppose-t-elle pas à l'enseignement de Jésus pour qui tout le peuple était sacerdotal ? Jésus n'a-t-il pas dénoncé les castes ? Et n'en ont-ils pas formées avec le désastreux résultat que les laïcs se désengagèrent, laissant toutes les responsabilités et les décisions au clergé qui, lui, « savait » ? Les uns ont suivi comme des moutons, sans se poser de questions, et ceux qui se posaient des questions ou qui n'étaient pas d'accord se taisaient, par crainte de représailles. Ils obéissaient à des préceptes. Ainsi se substituèrent à l'esprit un régime de rigueur et une dictature manifeste.

Pendant les deux siècles suivants, l'humanité assista à la fondation des communautés religieuses, constituées surtout d'hommes[2]. Ces hommes s'exerçaient à un puritanisme excessif et maladif. La notion du péché s'implanta, au détriment de la conscience des hommes. On établit un « dictionnaire » des péchés. Selon eux, un des plus grands des péchés, dont il ne fut même pas question dans les Évangiles, fut celui de la sexualité, péché exploité dans les détails de la vie sexuelle et dans l'extrême contrôle de la vie conjugale ; les souffrances indicibles qui en ont découlé se manifestent encore aujourd'hui. Ainsi, les clercs prennent le contrôle des laïcs, leur dictant vigoureusement leur conduite, sous la menace de l'enfer.

Cette époque, qui tombera en décadence à partir des années 1960, a été une époque aliénée où fut construite une fausse religion qui a dominé la société sous le régime de la peur.

---

2. Ce ne sera surtout que vers le milieu du XIXe siècle qu'on verra se développer les communautés religieuses parmi lesquelles on comptait bon nombre de femmes qui ont pris en charge l'enseignement et la santé.

Depuis cette décennie,
Une porte s'est ouverte.
La conscience endormie
S'est réveillée.
La liberté a repris son souffle,
Elle flotte encore
Entre la loi et la raison

L'opinion de Paul-Eugène Chabot[3] va dans le même sens que mon bref survol de l'histoire. Dans la *Revue Notre-Dame*[4] (*RND*) de janvier 2003, il écrit :

> [...] on se rend compte que les religions peuvent tout rejeter ou tout dépasser. On en a un bel exemple dans le cas de la modernité. Si on entend par modernité la confiance en la raison et le respect des libertés individuelles. On sait comment le catholicisme a très tôt refusé la modernité. C'est sans doute là une des causes majeures du discrédit de la religion à notre époque. Aujourd'hui, il est clair que la modernité est là pour rester. La religion peut choisir de l'ignorer, mais elle peut aussi faire route avec elle.

Se basant sur l'affirmation que « les religions se fondent sur quelques intuitions premières qu'elles appellent révélation », monsieur Chabot émet le constat suivant : les

3. Rédacteur de la *Revue Notre-Dame*.
4. *Revue Notre-Dame (RND)*, magazine d'information sur les réalités sociales qui célébrait en 2003 ses 100 ans d'existence au Québec.

religions sont « des traditions et elles tendent à perpétuer le passé ». La religion se voulant « [...] un appel à quelque chose au-delà de nous-mêmes, [...] désir de ce qui échappe à notre emprise », il pose la question clairement : « La religion serait-elle donc inconciliable avec l'idée de l'évolution qui est le moteur du progrès moderne ? »

Or, les années 1960 ont vu poindre une tendance planétaire vers la liberté. Tous les aspects de l'existence sont touchés par ce désir d'affranchissement. L'autorité religieuse devra désormais s'adapter à ce désir profond et, probablement, inné qu'ont tous les êtres humains de décider par eux-mêmes des limites morales de leur propre vie. Ceux qui souhaitent demeurer fidèles à la foi chrétienne veulent le libre arbitre et se sentent, de plus en plus, capables de juger de la rectitude de leurs actes. Avec l'élargissement des consciences individuelles, l'Église-institution, centralisée et conservatrice, ne répond plus aux attentes.

Le théologien André Naud estime que les évêques sont empêchés de débattre librement des problèmes qui préoccupent les catholiques : « C'est certainement le cas pour l'éthique sexuelle ou familiale, la question de l'indissolubilité du mariage, la pastorale à l'intention des divorcés, le statut des femmes dans l'Église, le célibat sacerdotal. » M. Naud poursuit : « Rome tient à tout contrôler et à tout régenter, cela dût-il se traduire par la nomination ici et là de nouveaux évêques reconnus pour leur conservatisme et la mise au ban de théologiens jugés trop progressistes. »

L'Église ne se dirige-t-elle pas aveuglément vers un terrible cul-de-sac, en refusant de considérer l'énorme et progressif décalage entre sa position et celle des chrétiens ? Toujours selon André Naud, il existerait d'ores et déjà « une sorte de schisme dans l'Église » entre la pensée de cette dernière et la pensée réelle des croyants. Cette séparation, qui se creuse également entre les inconditionnels du pape et leurs opposants aux idées plus ouvertes, ne suffit-elle pas aux évêques pour les pousser à s'exprimer avec courage et sincérité ?

Il ne subsiste aucun doute dans l'esprit des chrétiens que le pape, en protégeant ouvertement l'Opus Dei[5], prend position en faveur de son idéologie ultraconservatrice et de ses principes surannés. Il ne s'agit plus de stagnation, mais d'une nette régression qui marquera la fin du XXe siècle et le début du XXIe. Comparé à la secte Moon par l'abbé Jacques Trouslard, spécialiste de l'épiscopat français, ainsi que par le père James LeBar, de l'archevêché de New York, l'Opus Dei fonctionne encore comme à ses débuts et sa spiritualité est toujours celle d'avant Vatican II. Dénoncé par certains pour son prosélytisme et le fanatisme de ses membres, il est considéré par d'autres comme la plus forte

---

5. Institution catholique fondée en Espagne en 1928 par J. M. Escrivá de Balaguer. Il s'agit d'un mouvement rétrograde, justifiant ses activités par une soi-disant obéissance à l'Évangile.

concentration intégriste de l'Église. Il est reproché aux raéliens de recruter chez les jeunes alors que, selon d'anciens membres (dont certains ont été expulsés en raison de leur allégeance politique), l'Opus Dei agit de même envers des mineurs. Il existe au Québec 24 organismes affiliés à ce mouvement considéré, par un archevêque, comme élitiste et conservateur. Ce sont d'abord les étudiants qui sont courtisés, car ils représentent des recrues de choix : les étudiants sont appelés à « prendre la direction des autres professions, [...] ils sont mieux placés pour donner une formation totale, doctrinale et humaine à tous les autres[6] ». Invités à une conférence ou à un séminaire portant sur le marché du travail ou sur tout autre sujet d'intérêt, les étudiants ne sont pas informés du nom de l'organisme et ils se rendent compte, parfois trop tard, qu'ils ont été bernés. Séduits par le *love-bombing*[7], technique servant à les encourager à se livrer, les recrues se voient entourées d'affection, cajolées et valorisées. Cette pression affective les convainc de devenir membres s'ils remplissent les nombreuses exigences : ne pas être divorcé, en union libre ou homosexuel, ne pas utiliser de contraceptifs, jouir d'un emploi honorable, fréquenter les sacrements. De plus, le fondateur écrit : « Obéir... l'unique chemin. Dans une œuvre de Dieu,

---

6. Abbé Gregory Haddock, vicaire régional de l'Opus Dei pour le Canada.

7. Littéralement : bombardement d'amour.

l'esprit doit être: obéir ou s'en aller.» Mais s'en aller n'est pas aussi simple. Maria Del Carmen Tapia, qui fut responsable de la section des femmes de l'Opus Dei au Venezuela, a accusé l'organisme d'intimidation et de manipulation. Pour parvenir à leurs fins, les membres sont encouragés par le fondateur à utiliser les grands moyens, si la douceur ne suffit pas.

Une fois membres, les numéraires doivent faire vœu de pauvreté et céder à l'œuvre tous leurs revenus. L'Opus Dei est riche… très riche. Il compte plusieurs centres au Canada et possède plusieurs immeubles dont l'un, à Montréal, est évalué à près de 160 millions de dollars.

Et ses fondateurs osent le défendre, en prétendant que ce n'est pas une secte!

Pour clore ce chapitre, voici, tiré de la revue *Femme plus* de septembre 2000, un résumé des faits saillants qui ont marqué l'histoire de la religion, ici même au Québec:

- XVIIe siècle – Arrivée des premiers Récollets, suivis des Jésuites, Ursulines, Augustines, etc. Les religieuses se consacrent d'abord à l'éducation puis fondent des hôpitaux. Créées au départ pour accueillir entre autres les jeunes Amérindiens, ces institutions ne serviront bientôt que la population blanche de la colonie. À la fin du Régime français, la Nouvelle-France compte 114 paroisses. Les prêtres encouragent les fidèles à «travailler à leur salut avec crainte et tremblement», selon les mots du catéchisme de l'époque. Les curés favorisent l'implantation de confréries de dévotion. Pour les femmes, la voie est claire : ou elles seront religieuses, ou elles seront épouses, mères de nombreux enfants et gardiennes de la foi dans leur famille.

- XVIIIe et XIXe siècles – Après la Conquête de 1760, l'Église catholique et les Canadiens français s'amalgament de façon encore plus étroite. La religion ponctue la vie quotidienne. Elle se fait omniprésente, démonstrative et un brin exhibitionniste. Les processions, les cultes voués aux saints et à leurs reliques, les pèlerinages se multiplient. Pour contrer l'exode rural et l'émigration massive vers les États-Unis, le clergé met de l'avant la formation des jeunes filles à leur futur rôle de femmes de cultivateurs, pour ainsi retenir les hommes à la campagne. C'est à l'initiative des religieuses que naissent les premières écoles d'infirmières, de service social, les programmes de commerce, de formation aux arts domestiques et à la musique.
- XXe siècle – Le clergé crée les premières fédérations syndicales confessionnelles qui s'uniront, en 1921, au sein de la puissante Confédération des travailleurs catholiques du Canada (CTCC). Le catholicisme social ne manquera pas de prendre sous son aile protectrice les regroupements qui verront le jour, comme le mouvement de la Jeunesse ouvrière catholique (JOC). En

1938, les femmes des cercles de Fermières seront parmi les premières à s'élever avec succès contre cette récupération. Pendant la guerre beaucoup de femmes gagnaient de l'argent par leurs emplois. Après la guerre, on leur a enlevé leurs « jobs » pour les donner aux hommes, alors qu'il aurait été avantageux de créer plutôt de nouveaux emplois. Dans les années 1950, époque de la « reine du foyer », le clergé tente de rassembler les lambeaux de son influence mise à mal par l'individualisme galopant de l'après-guerre. Sa cible : les femmes. Ayant acquis de peine et de misère le droit de vote, ayant prouvé leurs capacités à jouer un rôle dans la sphère publique, elles provoquent la chute de la natalité. Elles prennent, dès lors, le temps de réfléchir à leurs aspirations et elles les expriment. Le fossé se creuse entre la morale de plomb de l'Église et les aspirations des Québécoises. L'interdiction par le Vatican, en 1968, de prendre la pilule sera « la goutte qui fait déborder le vase ».

L'opposition de plus en plus ouverte entre religieux et laïcs semble se confirmer de nos jours. Nul doute qu'elle marquera également l'histoire.

Mais comment l'Église peut-elle accéder aux vœux de l'opposition et accepter d'entrer dans ce mouvement d'avant-garde des gens de la gauche, alors que les dogmes ne peuvent être remis en question ? Certainement pas en soutenant le durcissement des positions du pape actuel qui semble vouloir redonner à l'Église la structure dogmatique et doctrinaire des années 1960 !

En 2008, l'Église canadienne, de par son congrès eucharistique à Québec, aurait pu profiter de cet événement pour en faire une assemblée de renouveau et lancer un appel à une réforme s'adaptant aux temps modernes, mais ce fut le contraire. Le cardinal Ouellet nous a servi un congrès à l'image de ceux des années 1940. L'invitation était avant tout d'adorer l'hostie supposément porteuse de la chair et du sang du Christ Jésus, et de le processionner avec, en première ligne, des évêques somptueusement habillés de leurs atours. Pourquoi ces derniers ont-ils suivi plutôt que de s'opposer ? Et que dire de la complicité inconsciente de l'État qui, par les caisses populaires Desjardins entre autres, ont financé ce congrès dit eucharistique. Encore une fois, l'Église a manqué sa chance ! Et l'État fut complice.

Assise sur son passé
Barricadée dans le présent
L'Église saura-t-elle se rendre
à la conscience universelle ?
Saura-t-elle philosopher ?
Innover un futur meilleur ?
Elle va à reculons
Alors que nous voulons
Un mouvement vers l'avant…

La foi en stagnation et le doute en mouvement

Ils savent
Nous ne savons pas
Ils connaissent
Nous ne connaissons pas
Ils définissent
Nous ne définissons pas
C'est une affaire de foi
C'en est une de « bon sens »

Un dogme est un ensemble d'articles de foi d'une religion. Dogmatique signifie affirmer ce que l'on décrète comme étant une vérité indiscutable. C'est une attitude intellectuelle péremptoire et autoritaire, qui n'admet ni protestation ni objection. Par exemple, en 1580, l'Église a dogmatisé la Trinité (un seul Dieu en trois personnes), l'Immaculée Conception, l'infaillibilité du pape, etc., en décrétant qu'il s'agissait de vérités incontestables. Cette décision constitue un exemple de dogmatisme étroit d'un théoricien.

L'Église a fixé, à travers les époques, les croyances qui devaient prévaloir pour les siècles à venir. Quand nous adhérons aux croyances scellées par les dogmes, nous adhérons par le fait même à une stagnation qui s'oppose au mouvement perpétuel d'évolution. L'Église, en entretenant ces dogmes par l'interdiction de contester, se rend confortable : un ciel après la mort, un pape infaillible, une vierge qui a conçu par l'opération du Saint-Esprit, tel un bon pasteur qui sécurise son troupeau.

Le 17 décembre 2000, le quotidien *Le Soleil* de Québec rapportait les propos du cardinal colombien Dario Castrillon Hoyos, qui affirme que le Christ est né d'un œuf fécondé par le Saint-Esprit :

> Il y a 2000 ans, un œuf a été fécondé d'une façon prodigieuse par l'action surnaturelle de Dieu. Cette union merveilleuse a produit un zygote avec un patrimoine chromosomique propre. Mais dans ce zygote, il y avait le Verbe de Dieu. Dans ce zygote, se réalisait le salut des hommes. Après sept jours, Dieu devint un embryon humain. Mais cet embryon était le fils de Dieu. Quand le fœtus mesurait de 0,8 à 1,5 cm, le cœur de Dieu a commencé à battre grâce à la force du cœur de Marie et le Christ a commencé à utiliser le cordon ombilical pour se nourrir par sa mère, la Vierge immaculée.

Cette extraordinaire spéculation peut nous faire sourire et ressemble à bien des spéculations des pères de l'Église, à travers des siècles. Au XXIe siècle, une telle naïveté est pour le moins étonnante !

Somme toute, nous ne devons presque tous ces dogmes qu'à la seule imagination des hommes appelés pères de l'Église. Leur théologie ne se fonde pas sur des faits mais sur des hypothèses, sur de la pure spéculation, et elle est fabriquée de telle sorte que l'on puisse justifier l'injustifiable !

Au terme de cinq années d'études et de recherches, Jérôme Prieur et Gérard Mordillat, historiens, auteurs et cinéastes français, sont arrivés à la conclusion que la Bible, y compris les Évangiles, quoique possédant quelques éléments historiques, relève de la « fabrication ». Leur série *Corpus Christi*[1], en douze épisodes, fut un événement télévisuel sans précédent. Confrontant les points de vue de vingt-sept chercheurs internationaux réputés, les auteurs ont pu établir la différence entre ce que nous savons ou croyons savoir sur Jésus et ce que savent les plus éminents spécialistes de l'histoire du christianisme. Si le doute est permis quand il s'agit de la Bible, n'en est-il pas de même pour tous les livres se réclamant de la « vérité révélée » ? Interrogés par Florence Beaugé, journaliste à Radio Monte-Carlo, les deux historiens expliquent :

---

1. Jérôme Prieur et Gérard Mordillat, *Corpus Christi*, 1997, prix du Meilleur Documentaire historique de l'Académie de l'histoire et de l'image du Rueil-Malmaison.

Ce qui nous a paru extraordinaire, c'est la complexité de ces textes. On les présente comme lisses, unifiés, alors que vous vous apercevez, quand vous les examinez réellement, qu'ils ont été extrêmement travaillés, qu'ils sont très « écrits », qu'ils sont chaotiques, tissés de contradictions, en un mot : vivants. Dans le Nouveau Testament, chaque mot est fort, précieux, et se voit investi d'un message. Ce n'est pas étonnant que les Évangiles aient réussi à traverser les siècles d'une façon aussi puissante. Mais ce qui nous a aussi fascinés, c'est de nous apercevoir que plus on avançait dans nos recherches, plus le chemin était tortueux. À chaque fois qu'on croyait toucher au but et arriver à une conclusion, cette conclusion se dérobait devant nous à la dernière seconde.

Les deux chercheurs soupçonnent les auteurs du Nouveau Testament de l'avoir écrit dans le but manifeste de tromper les lecteurs et de les attirer vers l'Église. Leur seule certitude, c'est que les Évangiles ont été rédigés à plusieurs mains et à des époques différentes. Il leur paraît évident que l'histoire de Jésus repose sur une base historique, mais comporte une part de légende. Prieur et Mordillat ne cachent pas leur admiration pour les auteurs de ces textes qui ont réussi à s'imposer et à traverser les époques, malgré leurs incohérences et leurs contradictions. Selon eux, qu'ils soient parvenus à convaincre les lecteurs ordinaires de la véracité de ces textes, sans que la part théologique soit démêlée de la part historique, leur semble comme un coup de génie. Ils ne parlent pas de manipulation, mais de « fabrication ».

N'est-il pas stupéfiant de constater que non seulement la religion n'est pas remise en question par les principaux intéressés que sont les évêques, mais qu'ils se portent à sa défense ? Ici encore, c'est la stagnation et le refus du mouvement, d'un mouvement qui sans cesse devrait s'adapter ou se réadapter… L'obéissance imposée aux évêques devient alors le contre-témoignage d'une Église qui se prétend inspirée par l'Esprit. Or, l'essence même de l'esprit est représentative du mouvement : l'Esprit est depuis toujours comparé à un souffle, un vent qui, en toute logique, change de direction et provoque le changement.

Toutes les religions ont en commun qu'elles se présentent comme étant « l'unique et véritable religion », dépassant toutes les autres, suivant une tendance totalitaire, un courant dominant. La théologie ne serait-elle finalement qu'un « tricotage » d'hypothèses et de fausses affirmations servant à nous assujettir ?

Une société qui ne remet pas en question ses institutions ne peut évoluer.

La religion a toujours voulu sécuriser l'homme dans ses questions fondamentales et existentielles sur le sens de la vie. Un nombre impressionnant de croyants catholiques préfèrent « ne pas savoir », par crainte d'ébranler la sécurité émotive que la religion leur procure. Refus du mouvement, encore ! Sur le plan de la religion, ils acceptent volontairement cette infantilisation massive, admettant ainsi qu'ils ne possèdent pas assez de maturité pour trouver leur sécurité en eux-mêmes. Dans son livre *Le jardin du cœur*[2], l'auteure québécoise Lise Morin exprime assez justement mon point de vue. Comparant la vie de chacun d'entre nous à un immense jardin à cultiver, elle invite le lecteur à se défaire des croyances néfastes qui se transmettent de génération en génération: « Symboliquement, tu as peut-être "vendu" ou "loué" ton terrain à d'autres jardiniers plus ou moins expérimentés [...]. Si, parvenu à l'âge adulte, tu comptes encore démesurément sur les autres pour te procurer ton bien, si tu crains exagérément les jugements et les critiques des autres, [...] si tu recherches sans cesse l'approbation de tes actes par les autres, alors, oui, tu as momentanément cédé ton lot [...]. Chacun a la responsabilité de son propre jardin. Tu ne dois jamais en livrer la moindre parcelle à des mains étrangères. » Ce grand jardin n'est pas cultivé au sein de l'Église. On baptise des nouveau-nés, incapables de prendre la moindre décision, en alléguant une responsabilité morale qui ne vient de nulle part.

Ne devrions-nous pas remettre en question le bien-fondé des sacrements auxquels on prête un pouvoir magique?

---

2. *Le jardin du cœur*, Éditions du Méridien, Montréal, 1995. Réédité en 2003 par la Fondation littéraire Fleur de lys (manuscrit dépôt).

Au Québec, pendant des années, le baptême a tenu lieu d'enregistrement civil pour les nouveaux membres d'une famille, d'une société. Aujourd'hui, heureusement, les parents peuvent choisir d'inscrire leurs enfants au registre civil sans passer par les fonts baptismaux. Une autre petite victoire pour le monde laïque, qui n'est pas sans s'interroger sur toutes les aberrations reliées à la célébration de la plupart des sacrements. Ainsi, récemment, à Pointe-Calumet, dans le diocèse de Saint-Jérôme, un homme s'est substitué, pour verser l'eau sur la tête de son enfant, à la femme laïque mandatée par l'évêque pour accomplir ce geste. Pas moins de 300 baptêmes ont été annulés à la suite de cet événement. Le cœur du problème : lors de la célébration du baptême, l'eau doit être versée par la personne qui prononce la formule trinitaire[3]. Or, dans ce cas précis, le père versait l'eau alors que la mandataire récitait la formule. Une bonne catholique pratiquante, qui assistait à la cérémonie, s'est fait un devoir de dénoncer les faits, et toutes les familles concernées ont été rappelées pour que

3. Article 6 du catéchisme catholique :
Que faut-il faire pour donner le baptême ?
Pour donner le baptême il faut :
1- avoir l'intention de baptiser,
2- verser soi-même l'eau sur le front de celui qu'on baptise,
3- dire en même temps les paroles : « Je te baptise, au nom du Père, et du Fils, et du Saint-Esprit. »

les 300 enfants soient rebaptisés. N'est-ce pas incroyable qu'on puisse remettre en doute sa validité, parce qu'un geste hors du protocole a été posé ? N'est-il pas difficile de concilier avec ce genre d'aberration le fait que cette même Église compte de moins en moins d'adeptes ?

Le temps n'est-il pas venu de supprimer les fixations de l'imaginaire ? Le temps n'est-il pas venu de nous responsabiliser ? Pourquoi ne pas accepter, en adultes, que le « défini » par l'Église soit « indéfini », en admettant que nous ne savons tout simplement pas ? Il est légitime et normal d'avoir un doute, surtout lorsqu'il n'y a aucune preuve à l'appui. Ce serait sot de ne pas se questionner… Ne plus avoir à se référer à une religion est une liberté d'esprit qui exclut la crainte d'un châtiment ! Nos références peuvent s'orienter vers le « bon sens », puisant à l'intérieur de nous-mêmes et à l'expérience de la vie, plutôt qu'à l'extérieur de nous et à tout ce qui nous est étranger. Si les « pratiquants de la religion » connaissaient la véritable histoire de sa fondation et de sa maintenance à travers les siècles, je pense qu'un grand nombre d'entre eux se retireraient et certains, même, deviendraient agnostiques. Je crois que c'est cette ignorance qui permet à l'Église de garder ses adeptes. Le cordon ombilical n'est pas coupé ! On n'est vraiment pas encore sorti du Moyen Âge. En général, on adhère à une religion et ensuite à la foi. Qui ne se souvient pas de la fameuse phrase *Hors de l'Église pas de salut*? Pour nous assurer de garder nos fidèles, on mélangeait donc foi et religion pour une appartenance aux deux.

Le doute et la raison supplanteraient une foi naïve et métaphorique.

Dieu Est
peut-être.
Tout-puissant
vraiment?
Ils ont des certitudes
nous préférons l'incertitude.
La Vérité est hors d'atteinte
les certitudes ne résistent pas
les références mythiques sont à nues.
Nous en référons à la raison
monde du statu quo
Leur Credo
je crois
Mon Credo
je ne sais pas.

Nous ne savons pas, personne ne sait et en convenir peut être libérateur. Personne ne détient l'ultime vérité. Ce serait un défi à relever: accepter et vivre l'incertitude, l'apprivoiser jusqu'à nous y sentir bien, mieux même que de marcher en somnambules parmi des certitudes aveuglantes. Nous en arriverons à des convictions plus rationnelles.

Lorsque nous savons, il s'agit d'une certitude. Ne pas savoir est une incertitude. Accepter simplement de ne pas savoir et que personne ne sache… Accepter cette vérité est une délivrance qui peut procurer un bien-être.

Jusqu'ici, le seul objectif de notre vie spirituelle était l'après-vie… à préparer… Et si le château de cartes s'écroulait avec la venue de la mort ?

Avons-nous absolument besoin qu'il y ait un Dieu à la mesure de notre imagination humaine pour motiver l'acte de vivre ? Et s'il n'y a rien, n'est-ce pas encore plus motivant de s'appliquer à bien vivre cette vie, puisqu'il n'y en a qu'une, bien réelle, celle-là ? Celle de maintenant, sur terre. L'être humain semble habité par un profond sentiment religieux… D'où nous vient ce sentiment ? Sentiment génétique ? Sentiment inculqué par l'éducation ? Sentiment intuitif ? Il est probable que c'est par l'éducation qui se transmet de génération en génération. Mais, que sais-je… Il est certain qu'il y a des gens qui se sentent bien dans la pratique de la religion et qui ne sont pas intéressés à remettre cette sécurité psychologique en cause. C'est leur choix et je le respecte. On ne peut se déprogrammer totalement de ce qui nous a été inculqué dès l'enfance ; il reste souvent quelque chose, quelque part, qui fait notre affaire. Pour ne donner qu'un exemple : qui dit que les cimetières ne disparaîtront pas dans les siècles à venir ? Que l'incinération ne deviendra pas obligatoire ? Que l'on ne préférera pas garder les cendres de l'être cher chez soi, au pied d'un arbre, ou encore les disperser dans la mer?

Récemment, les évêques ont décidé de chercher un sens à la vie parce qu'ils se sont rendu compte que les laïcs ne s'appuient plus tellement sur le sens de l'au-delà... Mais, chercher un sens à la vie, c'est détourner encore une fois la personne de sa vraie raison d'être. Cela voudrait-il dire que l'on ne sait pas quel est le sens de la vie? Ou, pire encore, que la vie n'a, jusqu'ici, pas eu de sens? Pourtant, le sens de la vie est en la vie elle-même, le sens de la vie, c'est de vivre sa vie! Celle-ci est pleine de sens! (Voir *L'Essence de la vie*, Andréa Richard, Septentrion, 2007).

Après la mort, l'Église nous dit qu'on va au ciel! À moins de mériter l'enfer! C'est cela la doctrine: une programmation du cerveau et de la pensée, comme celles des fichiers d'un ordinateur.

À l'article de la mort, ce qui est important, ce n'est pas qu'il y ait ou non un ciel après, c'est que la personne concernée soit bien, autant que cela puisse être.

Travailler à faire son bonheur sur terre et celui des autres, c'est cela la spiritualité de la vie. Ce n'est pas préparer quelque chose qui ne sera pas ou sera peut-être... mais embellir quelque chose qui est...

La spiritualité laïque remplace la vertu par le courage d'assumer ses choix de vie, la soumission par la responsabilisation, l'obéissance aveugle par le libre choix, même si on n'a pas toujours le choix!

La vie comporte des souffrances: celles que l'on peut et doit éviter, et celles auxquelles on nc peut se soustraire. Accepter la souffrance comme voulue par un dieu, c'est renoncer à la combattre et à se sortir des difficultés. Nous n'avons pas à endurer la souffrance qu'il est possible de diminuer ou d'éliminer. Ce serait admettre que nous entretenons avec ce dieu une relation sadomasochiste. Avec toutes les ressources auxquelles nous avons accès aujourd'hui, nous n'avons plus le droit de nous complaire dans la souffrance pour adhérer à la doctrine qui veut que la souffrance soit rédemption pour les âmes à sauver. Qui n'a pas entendu ces témoignages assurant que les épreuves et la souffrance ont permis à quelqu'un de grandir, d'avoir un regard nouveau sur la vie, etc. La souffrance aurait-elle un sens? Si une maladie peut être guérie, guérissons-la! Si un mal peut être enrayé, enrayons-le! Tous les moyens sont à notre disposition pour affronter toutes les circonstances de notre vie, et, quand il ne reste plus que l'acceptation d'une souffrance impossible à faire disparaître, il existe encore des ressources pour nous aider à l'accepter dans la sérénité.

Ainsi va naître l'adaptation circonstancielle, appelant un élément constructif...

L'Église s'est toujours opposée à la nouveauté et au progrès en ce qui touche la morale; or, pour être en mouvement, elle ne peut avoir le monopole du bon jugement. Les laïcs ont toujours dû et doivent encore se battre contre sa position rétrograde, dans les domaines d'avant-garde. En ce 19 décembre 2008, Hervé Couturier nous fait part, dans le journal *Le Devoir*, que, les Nations unies évoquant l'universalité des droits de l'homme, un tiers des pays du monde ont lancé un appel historique à la dépénalisation universelle de l'homosexualité, malgré l'opposition active de plusieurs États arabes et du Vatican. N'est-ce pas scandaleux, ce mépris du Vatican envers les homosexuels, alors qu'en son sein de très nombreux prêtres sont homosexuels ? Cette prise de position va aussi à l'encontre de l'esprit évangélique dont pourtant ils sont les apôtres ! C'est une autre preuve que les religions, de par leurs autorités, empêchent le mouvement et l'avancement vers une société humaniste.

J'ai lu des articles de journaux dont les auteurs semblaient obsédés par la peur que l'euthanasie devienne légale au Canada. Les arguments ne manquent pas pour justifier l'opposition, en particulier la crainte des abus. Aux Pays-Bas, on a légalisé l'euthanasie. Les autorités papales et religieuses se sont prononcées contre ce moyen radical de mettre fin à des souffrances inutiles. C'est classique !

J'ai regardé une émission télévisée française, retransmise sur le Canal Vie, qui traitait de l'euthanasie. J'en ai retenu que la décision de pratiquer l'euthanasie est loin d'être prise à la légère. Il y a toute une équipe de professionnels qui, conjointement avec le malade et la famille qui la réclament, optent pour cette ultime solution. Ces personnes doivent observer un code d'éthique très strict. Avant de s'opposer systématiquement à tout ce qui bouleverse notre échelle de valeurs, il serait utile de réfléchir à la lumière des expériences passées. Faut-il interdire un bienfait, sous prétexte qu'il pourrait y avoir des abus ? N'est-il pas préférable de s'adapter au fur et à mesure dans un mouvement souple ? Pourquoi refuserions-nous d'assister un être humain en phase terminale, dans son passage entre vie et trépas ? Qu'y a-t-il d'humain dans le maintien de la souffrance, chez un être condamné ? Pourquoi ce qui prend figure de compassion pour un animal devient-il un meurtre pour un être humain ? Pourquoi les autorités de l'Église catholique romaine, qui pensent savoir, ne nous laissent-ils pas libres d'user de notre jugement, de notre bon sens et de notre naturelle compassion envers nos semblables ? Une personne humaine, atteinte d'une maladie incurable dont les souffrances n'ont d'autre justification que la moralité de l'attente d'une mort certaine, doit-elle s'exiler aux Pays-Bas pour que la libération qu'elle désire lui soit accordée ? Quels sont les droits réels de la personne ?

Je reconnais que le débat n'est pas simple. Il peut être vrai que l'euthanasie, dans certains cas, risque d'être mal utilisée, comme il peut être vrai que la question de l'euthanasie masque celle des énormes problèmes entourant la qualité des soins. Qu'on améliore alors cette qualité de soins, pour les malades qui ont une chance de s'en sortir. Pour les malades sans espoir de guérison, cependant, quand c'est une question de temps, n'est-ce pas à eux, et à eux seuls, de faire le choix ? La qualité des soins n'est pas et ne sera jamais la qualité de vie. Non seulement le malade devrait-il pouvoir décider de son sort, choisir une autre option et garder son droit de pouvoir changer d'idée, mais il est le seul à pouvoir juger du moment où ses souffrances, autant morales que physiques, sont devenues intolérables. Personne ne peut les ressentir à sa place.

Quoique le problème de l'euthanasie se pose surtout quand les soins palliatifs font défaut par leur qualité et leur quantité, il demeure que certains individus, dont la souffrance est contrôlée, se sentent blessés qu'on leur refuse ce droit.

Le débat opposant les candidats à une mort assistée et les corps médical et légal est déjà épineux. Puisque le fardeau de cette responsabilité est déjà suffisamment lourd, pour les intervenants vraiment concernés, pourquoi l'Église viendrait-elle brouiller les cartes en affirmant sa position comme étant la seule valable ? Si elle pouvait admettre qu'elle ne possède pas toute la définition de la morale, elle pourrait démocratiquement participer aux débats et s'ouvrir à ce que les autres pensent en ce mouvement mondial vers une mentalité plus centrée sur la dimension viscérale de l'être humain.

Vie
qui est mienne
Sera-t-elle mienne
jusqu'à la fin ?

En mouvement vers la primauté de la nature

Quand le regard est fermé aux beautés de la nature,
la motivation de vivre s'éteint.
Quand une spiritualité positive
est remplacée par des lois avilissantes,
on perd « le bon sens ».
Voilà la porte ouverte
au dérapage… et aux aberrations.

LES INDIENS D'AMÉRIQUE, en général, ont un sens inné du sacré. Ils ont dans l'âme une sensibilité spirituelle et mystique qu'ils expriment dans un culte d'admiration et de respect envers la nature : le soleil, l'eau, les arbres, la forêt, la pluie, la terre et ses produits, les oiseaux, les animaux, les enfants, l'humain, la personne, la vie qui coule dans la sève, éclot, grandit et s'épanouit. Pour eux, c'est cela « la richesse », « le sacré », le trésor à respecter et à sauvegarder.

Avant d'être presque entièrement dépossédés de ce trésor par ceux qui prétendaient leur apporter le salut en les évangélisant, le respect et l'admiration engendraient l'amour, et cet amour les portait à la fête. Par la musique et la danse, ils célébraient la nature et les bienfaits qu'elle leur prodiguait. C'était rendre grâce au créateur pour toutes ces merveilles. Leur foi se portait sur la nature et sur la vie.

Cette expression de la foi en la nature et la vie, une foi logique, était la base fondamentale qu'exigeait une civilisation. C'était l'esprit qui commandait la loi : la loi du respect envers la nature. Voilà ce que j'appelle une « spiritualité laïque ». Je ne parle pas d'une loi écrite sur une pierre, comme celle qui aurait été donnée à Moïse par Dieu lui-même. Ce n'est pas une loi ennemie de l'esprit qu'elle cherche à tuer, mais une loi qui va dans le sens de l'esprit, une loi inscrite par la nature dans le cœur de tous les humains. Le sens du mot « loi » leur fut d'ailleurs inconnu jusqu'à l'arrivée des Blancs. Avant, ils ne disposaient d'aucun terme pour expliquer la loi puisqu'ils n'en avaient pas besoin. Leur dieu, leur divinité, c'était la nature, c'était la vie. Ils vénéraient, et vénèrent encore, des dieux symbolisés par les éléments naturels. Selon le peuple auquel ils appartiennent, leur dieu, appelé Mana, Grand Manitou, Wakan, Orenda ou Windigo (le Grand Inconnu), est représenté dans la nature par le soleil, la lune, la rivière, l'arbre, l'animal, etc. Leurs croyances, qui façonnent cette religion qualifiée de fétichisme, de naturalisme, de polythéisme, de totémisme, de dynamisme, de vitalisme ou d'animisme, reposent sur l'essence qui anime les choses. Il ne leur paraît pas indispensable de se rattacher à un principe premier, puisque leur religion les rassemble dans une harmonie découlant du respect absolu envers la nature et envers la sagesse des anciens.

> Mon peuple n'a pas de loi
> Mais il vit en harmonie avec les puissances de la nature
> Vous ne voyez en nous que des bêtes
> Vous ne comprenez pas nos prières
> Vous n'avez jamais cherché à comprendre
> Lorsque nous nous adressons à la lune, au soleil ou aux vents
> Vous prétendez que nous adorons le diable
> Vous nous avez condamnés sans nous comprendre
> Simplement parce que nos prières diffèrent des vôtres.
> Walking Buffalo (Stoney)[1]

De connivence, l'État et les Oblats de l'Église catholique romaine sont arrivés chez les Amérindiens au début du XIXe siècle. Comme tous les conquérants, ils ont imposé leurs croyances et implanté leur système de valeurs. Les enfants des familles autochtones furent contraints à renoncer à leurs traditions et à l'enseignement des anciens, impuissants

---

1. Extrait du livre de Serge Bramly, *Terre Wakan, aux origines du sacré*, Robert Laffont, 1974.

devant le déplacement de leurs immémoriales valeurs. Leur foi ne devait plus reposer sur la nature et sur la vie, mais sur un dieu mort sur une croix et ressuscité. Ils durent troquer leur foi en la vie contre une foi en la mort pour la résurrection. Le respect devait avant tout s'exercer envers les maîtres du savoir, soit les évêques, les prêtres catholiques, les religieux et religieuses, et non plus envers leurs parents, désormais considérés comme païens et ignorants. Les danses, qui symbolisent pour eux la plus haute forme d'expression religieuse et qui représentent une prière, ne devaient plus faire partie du culte rendu à Dieu, non, c'était la messe obligatoire qui devait être adoptée comme nouveau rituel magique. Et cela dans une langue inconnue, le latin. Les autorités de l'Église refusaient d'écouter les Indiens d'Amérique du Nord, de les entendre, mais eux, qui pourtant n'ignoraient pas le sentiment religieux, devaient écouter… « Leur conception du monde était aussi simple que l'univers dans lequel ils vivaient. Ils ne possédaient ni temple, ni objet du culte, ni théologie compliquée. La nature était leur temple, elle était respectée sous toutes ses formes, et son histoire servait de théologie[2]. » Pas étonnant qu'aujourd'hui ils veuillent être entendus, eux qui, pendant des siècles, ont refoulé leurs frustrations d'avoir été forcés à s'intégrer à un système qui a renversé leurs valeurs, leur

2. Serge Bramly, *op. cit.*

a imposé une langue et une religion et les a irrémédiablement soumis à la loi du plus fort. Dans son livre *Terre Wakan*, Serge Bramly relate en abondance les abus d'ordre mental et physique auxquels se sont livrés missionnaires et soldats venus les évangéliser:

> Par la force des armes, ils les obligèrent à construire des missions. Ils usèrent librement de leurs femmes et torturèrent ceux qui restaient fidèles aux rites ancestraux. [...] L'Église arrivait chargée de promesses et de menaces. Les Indiens acceptaient, bon gré mal gré, le baptême, et attendaient de leur nouvelle religion les mêmes bénéfices immédiats que la leur apportait. Ils se retrouvaient invariablement déçus: les Blancs n'étaient pas concernés par les pouvoirs de la nature. Les récompenses promises n'étaient pas de ce monde. [...] Les cultures indiennes s'adaptaient mal à la foi catholique. [...] Les Indiens ignoraient l'écriture: «les vérités écrites avaient pour eux moins de réalité que celle de l'expérience». Les notions de Salut et de Péché originel leur étaient totalement étrangères. L'idée d'un dieu suprême, créateur et maître incontesté du monde, leur était particulièrement incompréhensible. Les prêtres traduisaient par de vagues métaphores et déformaient le sens de leur message.

Jean-Paul Michon rapporte que M. Jean-Daniel Lafond a proposé en 2008 une pièce de théâtre intitulée *Marie de l'Incarnation*.

> Cette pièce nous fait revivre l'hypocrisie du rôle évangélique de la religion dans ses débuts de la conquête des territoires

amérindiens. Quel intérêt de savoir qu'elle avait baptisé 500 sauvages quand on sait que le baptême n'avait pas d'autre but que de les répertorier ? On veut la faire passer pour une sainte et nous faire croire qu'il était moral qu'une femme ait abandonnée son enfant en France pour venir endoctriner les enfants autochtones du Canada. Il est grand temps d'ouvrir nos yeux d'adulte responsable et d'arrêter de se faire corroder l'intelligence par des doctrines d'autres temps. Le film comique de Larry Charles, *Relidicule,* est à l'affiche en même temps que cette pièce de théâtre de Jean-Daniel Lafond. L'acteur Bill Maher met en évidence avec beaucoup d'humour les incohérences des différentes religions. Il nous démontre combien nous sommes complices de ces intégristes en nous laissant endoctriner malgré nous dès notre plus jeune âge.

Je ne prétends pas que le catholicisme soit la seule religion capable de cruauté, je tiens seulement à poser la question : Qu'est-ce qu'une religion qui s'impose par la force et la manipulation, une religion qui s'autoproclame la seule valable, une religion despotique qui affirme que ses actes, même ses pires bassesses, lui sont commandés par Dieu ? La foi chrétienne s'appuie sur une notion de l'irréel, sans rapport avec la vérité. Cette foi repose sur le mystère : il faut croire, sans aucune logique, et sans remettre en question les énoncés qui la structurent, mais croire ou ne pas croire, le plus important c'est de bien vivre sa vie. Les croyances reliées à cette foi occultent les enseignements de la nature qui faisaient loi chez les Amérindiens. La foi biblique, farcie d'hypothèses théologiques, cherche sa justification dans la parole d'un dieu tout aussi hypothétique. En effet, on attribue à Jésus des paroles qu'Il a prononcées, mais aussi des paroles qu'Il n'a jamais dites. On n'a retenu que les textes d'évangile qui pouvaient avantager la thèse de ceux qui soutiennent la ligne directrice du pouvoir que se sont attribués les pères de l'Église. L'Évangile selon saint Thomas, par exemple, a été exclue de l'enseignement de la religion – l'histoire veut pourtant que saint Thomas ait été un témoin aussi authentique de la vie du Christ que ses onze compagnons. Pourquoi l'Église a-t-elle toujours refusé de rendre son évangile accessible ? Parce que ce qu'il révèle s'oppose à toutes les données mythiques et dogmatiques que l'Église a imposées à ses fidèles[3].

Pendant la Révolution française, les archives qui contenaient peut-être toute la vérité sur le sens profond de l'enseignement du Christ et sur les paroles qu'il a vraisemblablement prononcées ont été détruites.

---

3. « L'Évangile selon Thomas fut découvert en Haute Égypte, près de la localité de NAG HAMMADI. Des paysans exhumèrent fortuitement d'une galerie rocheuse, servant de cimetière, une jarre qui contenait 12 manuscrits reliés en cuir, écrits sur papyrus en langue copte et remontant au IIIe ou IVe siècle de notre ère. » Extrait de l'ouvrage *L'évangile selon Thomas*, traduction et commentaires de Philippe de Suarez, Éditions Metanoïa, 1974.

La foi ne se fonde plus du tout sur le principe de vie, ni sur une spiritualité praticable au temps présent ni sur aucune réalité immuable. Elle repose, avant tout, sur un principe de mort, faisant miroiter le ciel en récompense suprême d'une obéissance aveugle, et laisse planer sur la tête de ceux qui refusent d'obtempérer la menace du purgatoire ou de l'enfer. Ces notions de récompense/châtiment supplantent habilement la spiritualité de souche laïque pour valoriser une doctrine avilissante, obscurantiste et négative.

La nature se voit alors privée de son caractère sacré qui est reporté sur les objets. Ainsi, ce sont des vases, des autels, des tabernacles, des vêtements ainsi que les personnes consacrées prêtres et religieux et religieuses qui deviennent les représentants de ce sacré. L'Église a détourné l'humanité de la nature et de la vie. C'est un mouvement de recul. Cette cruelle mutation dans l'histoire de l'Église provoque de regrettables conséquences et place désormais les pratiquants devant un défi de taille: celui d'apprendre à pratiquer au quotidien le culte du sacré, et cela, sans aucune garantie d'un au-delà.

La notion d'un dieu est dérangeante. C'est peut-être une utopie pour comprendre l'univers. Ce principe de base amène en soi une déviation, le point focal n'étant plus « sur la terre », mais dans un ciel hypothétique. Les Indiens essayaient de comprendre la nature, alors que le clergé essayait de comprendre Dieu. C'est un peu comme l'œuf et la poule : l'œuf avant la poule, ou la poule avant l'œuf ? Dieu avant la nature, ou la nature avant Dieu ? Et si les deux n'étaient qu'un ? Un grand « tout » ? Si c'est le cas, on ne peut pas, alors, concevoir une image ou un visage de Dieu, car ils seraient en la nature elle-même, nature qui ne cesse de se produire et de se reproduire.

> L'homme qui s'assied sur le sol de son tipi
> Et qui médite sur la vie et le sens sacré de la vie
> Qui reconnaît que toutes les créatures sont parentes
> Et a conscience de l'unité de l'univers
> Infuse dans tout son être
> L'essence vraie de la civilisation.
> Chef Luther Standing Bear[4]

Au lieu de se baser sur les réalités de la vie humaine et terrestre, on a juxtaposé les forces, allant même jusqu'à les diviser et à les opposer les unes aux autres :

- l'âme immortelle contre le corps mortel, qu'il fallait mépriser comme un instrument du mal ;
- le religieux contre le laïc, jugé inférieur ;
- le sacré contre le profane, le religieux considéré comme sacré et le monde, lui, profane ;

---

4. Voir note 1.

- la virginité contre la maternité, la première étant spirituelle, donc supérieure, et la deuxième, animale ;
- l'esprit dit religieux contre l'esprit d'ouverture sur le monde ;
- le divin contre l'humain.

De plus, tout ce qui était « naturel » était considéré comme dangereux ou suspect. On inventait alors des concepts dits surnaturels, en opposition à ce qui était naturel.

Cette dualité, s'exprimant au travers de ces paradoxes, existe aussi dans le langage clérical et religieux. Je pourrais donc allonger cette liste de façon substantielle.

Qu'on me traite d'utopiste, mais je me plais à souhaiter que, désormais, ce ne sera plus une spiritualité de la mort, mais une spiritualité de la vie, que ce ne sera plus la foi en la mort, mais la foi en la vie et qu'il ne sera plus question de l'espérance du ciel, mais plutôt de l'espérance d'un bonheur à construire sur terre.

Que cesse la division et que règne l'harmonie.

L'Église, en instituant ses dogmes et ses doctrines, en les proclamant prioritaires et conditionnels à la vie des chrétiens, s'est privée – et de ce fait a privé tous ses adeptes – du grand savoir des Indiens. Elle aurait pu tant apprendre d'eux, pourtant ! La nature ne cesse de faire l'éloge et la démonstration visible du mouvement perpétuel. L'Église, en s'intégrant à ce mouvement, aurait pu se réadapter. Bref, au lieu d'assujettir les Indiens, de les obliger à obéir à ses lois limitatives, l'Église aurait d'abord dû faire preuve d'intelligence et écouter ce que ces peuples avaient à dire. Elle aurait évolué plus positivement et plus librement en constatant que la nature, elle-même sacrée, ne s'oppose ni au sacré ni au divin.

Les enseignements religieux sont devenus leur propre contradiction. La religion – toutes les religions –, bizarrement, n'a jamais su se mettre au diapason de l'humanité, alors qu'elle prône les qualités humaines.

Je rêve qu'un jour on ne dira plus le mot laïc et le mot religieux en les opposant l'un à l'autre, mais que nous dirons : citoyen. N'est-ce pas le terme même de la république laïque ?

Citoyen
j'existe
Être quoi ou qui de plus…

La religion en question

Si l'on considère le continuel mouvement de l'humanité vers une conscience plus évoluée, la religion devrait être une clé ouvrant, au fil des millénaires, les portes de cette conscience. Le passage d'une ère à une autre crée les civilisations et transforme les croyances. On peut penser que la religion, même en tant que concept évolutif, conserve des traditions païennes. Par exemple, dans l'expression « Agneau de Dieu, qui enlève les péchés du monde », ce nom donné à Jésus provient d'une tradition païenne : on plaçait un agneau sur un bûcher et les gens étaient invités à cracher sur l'animal pour se libérer du mal qu'ils avaient pu faire. L'agneau, qui avait pris sur lui les crimes du monde, était ensuite sacrifié. L'agneau servait aussi comme offrande en action de grâce. Dans la célébration eucharistique de la messe, Jésus l'Agneau prend aussi sur lui nos péchés pour être ensuite immolé. Il meurt pour nous sauver.

Toute religion comporte une part de doctrine, de mythes, d'hypothèses, d'imaginaire, de symboles, de soi-disant « vérités » qui ne sont pas basés sur des preuves. « Il apparaît de plus en plus clairement que le texte des Évangiles a subi, au fil du temps, des retouches révisionnistes motivées par des calculs théologiques ou politiques auxquels les apôtres de Jésus ne furent pas étrangers[1]. » Les livres sacrés comme le Coran, la Bible et la Torah se ressemblent tous et se réclament tous de la révélation monothéiste.

Nous avons assisté récemment à un virulent débat. Des parents qui veulent le maintien de la religion dans les écoles essaient de justifier leurs demandes en évoquant la culture et l'appartenance identitaire catholique. Or, la culture est un phénomène qui bouge et ne peut donc pas refléter le passé dans sa totalité.

Ce serait illogique de refuser cette évolution de la culture à nos jeunes et de les obliger à demeurer fidèles à nos traditions chrétiennes et catholiques ; laissons-les plutôt s'appuyer sur les réalités tangibles de la vie. Je cite ici quelques extraits d'un texte de Daniel Beaudry[2], intitulé *L'école de mes rêves* :

> La culture et le partage des valeurs sont le ciment de base d'une société. L'école doit accomplir cette fonction. C'est la

1. Alain Rollat, « Chef-d'œuvre », *Le monde*, mars 1997.
2. Médecin canadien du Nouveau-Brunswick, engagé pour l'amélioration du système scolaire.

plus importante. L'école doit avoir un curriculum de base universel, centré sur les valeurs, la culture, la santé physique, mentale et sociale. [...] Il ne faut pas voir la culture uniquement dans le passé, mais aussi dans le présent et l'avenir. Nos enfants ne sont pas seulement des avaleurs de culture. Ils en sont des générateurs dans le présent et le futur. [...] L'école doit compléter le travail d'éducation laissé inachevé lors du passage de la génération précédente, et suppléer aux carences culturelles du milieu, dans certains cas. Elle est [...], l'investissement dans nos gens, dans nos intelligences et notre culture. Si on met plus dans l'école, on mettra moins, plus tard, dans les prisons, les services sociaux et les hôpitaux.

N'est-il pas vrai que nous y gagnerions beaucoup en révisant par le fond notre système d'enseignement ? Pour les adultes de demain, l'identité n'est-elle pas quelque chose de plus qu'une étiquette sur le front de leurs parents pour indiquer à quelle religion ils appartiennent ? La mission première de l'école est d'encourager les enfants à penser. Or, selon Bill Maher, la religion est l'art de ne pas penser. Et Richard Martineau écrivait le 22 octobre 2008, dans le journal *Le Devoir* : « La religion n'enseigne pas l'esprit critique : elle enseigne à croire sur parole, à tenir pour véritable ce qui ne peut être prouvé et à adhérer à un système de valeurs les yeux fermés, sans jamais douter ni jamais rien remettre en question. » Je partage la vision du Dr Beaudry qui considère qu'il serait souhaitable de livrer à tous les enfants d'âge scolaire des bases solides, théoriques et pratiques, les rendant aptes à devenir de bons parents. Daniel Beaudry poursuit: « Par une démarche de questionnement personnel que l'école favorise le développement de convictions éthiques personnelles indépendantes des convictions religieuses, de façon à ce qu'elles soient comprises comme universelles et non pas le propre de tel ou tel groupe religieux. Le but de cela est d'éviter que le sens moral ne s'effondre avec la ferveur religieuse [...]. » Il y a encore des célébrations eucharistiques (messes) dans des collèges, ceux-ci se devraient d'être neutres, et surtout laïques car il me semble que cela va à l'encontre d'une éducation saine, pour les jeunes, étant donné que la messe comporte des rythmes empruntés à la magie ainsi qu'un langage inadapté à notre temps. Cela me donne à penser que le clergé et les religieux et religieuses ont encore une certaine influence dans les établissements qu'ils ont fondés. Il arrive souvent qu'on garde la tradition. D'une part, les anciens ne font pas assez confiance à la nouvelle génération et sont trop attachés à ce qui a toujours été et, d'autre part, la génération nouvelle, par respect pour les anciens, se culpabiliserait de couper le cordon ombilical afin de s'envoler dans de nouvelles sphères et découvertes. S'identifier à partir d'une religion, n'est-ce pas proclamer la division ? N'en avons-nous pas un criant exemple en Irlande, où sévit depuis des siècles une guerre entre catholiques et protestants ? Au Nigeria, où la guerre de religion oppose les chrétiens aux musulmans ? Et que dire de la guerre entre Juifs et

Palestiniens ? Dans la bible, il est écrit au livre de la Genèse que le Seigneur Dieu dit à Abraham : « À ta descendance, je donnerai la terre que voici. » Une parcelle de terrain de notre planète destinée à une nation particulière, les Juifs. Face à l'immensité de l'univers, et entrevoyant toutes les merveilles que la science nous révèle de l'ordre incroyable de la nature, cette histoire aurait-elle été inventée au Moyen-Orient, une histoire dans laquelle une petite nation s'élève dans un livre mythologique, au centre des préoccupations d'un Dieu qui se mêlerait des chicanes des hommes ? Le problème actuel est donc, à la base, de l'ordre de la déité, un problème de religion. Depuis ces temps déjà très, très lointains, les ancêtres des Palestiniens d'aujourd'hui et les Juifs sont à couteaux tirés et s'entretuent dans une suite sans fin.

Les jeunes aiment s'identifier à un gang. Ce besoin, bien qu'il soit légitime, crée néanmoins des rivalités qui opposent des groupes, et nous assistons tous les jours à la violence suscitée par l'adhésion à l'appartenance de l'un ou l'autre de ces groupes. Imaginez qu'il y ait dans les écoles une bande de protestants, une bande de catholiques, une bande de témoins de Jéhovah, une autre de musulmans, etc. Cette menace de voir se diviser ainsi le milieu scolaire est cependant bien réelle. C'est l'inévitable aboutissement de groupes « silos » qui se côtoient, mais ne partagent pas les mêmes idéologies. Les lois faites par les humains essaient tant bien que mal d'unifier tout ce beau monde, mais ce sera difficile tant que la petite flamme qui oscille dans chaque individu ne livre pas le même message. De là naît l'apprentissage des règles de l'âge adulte et des droits de la personne. Dans les institutions d'éducation on n'a pas à être protestant, catholique ou musulman, non, on est un individu avec son nom qui est l'identité. On est citoyen. Un peu comme le nouveau président des États-Unis Barack Obama disait : on n'est pas noir, blanc, métis, etc., avant tout, mais nous sommes tous Américains.

En tant que principale ressource communautaire, l'école, par sa capacité d'atteindre tous les parents, se doit de participer aux importantes transformations sociales. Encore faut-il lui en fournir les moyens ! Les parents se plaignent souvent de l'ingérence de l'école dans la vie privée... Souhaitons que le XXIe siècle soit un siècle d'ouverture, de complémentarité et de collaboration entre ces deux figures d'autorité. C'est à cette condition que les générations futures pourront vivre des bénéfices d'un investissement intelligent dans l'éducation. Peut-être cet équilibre fera-t-il en sorte qu'hommes et femmes de demain verront moins de désastres sociaux. L'enseignement de l'histoire, de la géographie et des sciences ne repose pas sur des hypothèses, mais sur des faits. Or, qu'en est-il de l'enseignement de la religion ? Si l'on peut admettre que la religion n'est pas une science, il est toutefois difficile d'accepter qu'elle s'apparente autant à la science-fiction. Est-ce cet embrouillamini que nous souhaitons transmettre à nos enfants ? Ne serait-il pas plus constructif d'enseigner, à partir des réalités de la vie, une spiritualité profane comportant des codes d'éthique, des valeurs, une morale ? Les jeunes doivent apprendre le respect des autres et cela commence dans la famille. Un jeune ami me disait : « Dans ma famille, il y a de l'amour, nous nous aimons profondément, mais il n'y a pas de respect. Ma mère et certains de mes frères et sœurs n'acceptent pas que je puisse penser autrement qu'eux, que je puisse avoir une conception de la vie différente de la leur, que je puisse ne pas pratiquer, comme eux le font, ce qu'ils appellent "notre religion". Comme si les liens familiaux exigeaient une telle conformité traditionnelle ! » La religion a souvent provoqué de graves divisions dans les familles, et combien de souffrances ! Quel calvaire pour une mère de croire que ses enfants seront damnés parce qu'ils n'allaient pas à la messe le dimanche !

Il y a, bien sûr, pour les personnes âgées – qui souvent ignorent les courants du mouvement de gauche –, pour plusieurs théologiens, animateurs de pastorale ainsi que pour de simples fidèles – ceux qui remettent en cause la stagnation par les dogmes et doctrines –, une difficulté, une incapacité, une crainte à suivre ce mouvement vers le questionnement et le repositionnement. Il faudra donc peut- être attendre que passe une autre génération. C'est ici que le combat entre la droite et la gauche prend toute son importance, la droite étant représentée, je l'ai déjà mentionné, par le mouvement rétrograde du Vatican et de l'Opus Dei, et la gauche par celui de la division entre l'État et la religion. Étrange de penser qu'une telle « division », favorisant la laïcité, déboucherait en bout de ligne sur le rassemblement, alors qu'il est clair que la religion n'a jamais cessé de diviser. Comme le seul questionnement permis par la religion ne se situe qu'entre le « bien » et le « mal » qu'elle a elle-même défini, nous pouvons maintenant nous demander de quel côté, cette fois, penchera la balance entre la droite religieuse et la gauche du mouvement.

J'ai été invitée à donner une conférence à l'Église unitarienne de Montréal. Avant d'accepter, je suis allée rencontrer les autorités, car je voulais m'assurer que je ne serais pas identifiée comme appartenant à une Église ou à une religion, ce que je ne veux pas. Quelle ne fut pas ma surprise ! Une Église, qui pourtant évoque subtilement religion, a autant de membres athées et agnostiques que de croyants, tous les citoyens sont bienvenus y compris les gais, lesbiennes, bisexuels ou hétérosexuels, des gens de toutes nationalités et de cultures différentes. Ils partagent leurs histoires, leurs identités respectives et honorent leurs vies ainsi en devenant compagnons de voyage. C'est une réflexion sur la vie et son sens. Personne n'a la vérité. C'est un groupe de solidarité et de partage. Ils se disent un mouvement se voulant voué aux idéaux humanitaires et à la liberté de croyance de chacun. Ensemble, les horizons s'élargissent et les énergies se renouvellent. Ils veulent être des instruments de paix et d'amour bâtissant une société meilleure. L'individu a besoin de « reliance ».

Le grand philosophe et sociologue Edgar Morin écrivait :

> Notre civilisation sépare plus qu'elle ne relie. Nous sommes en manque de « reliance », et celle-ci est devenue besoin vital ; elle n'est pas seulement complémentaire à l'individualisme, elle est aussi la réponse aux inquiétudes, aux incertitudes et angoisses de la vie individuelle. Parce que nous devons assumer l'incertitude et l'inquiétude, parce qu'il existe beaucoup de sources d'angoisse, nous avons besoin de force qui nous tiennent et nous relient. Nous avons besoin de reliance parce que nous sommes dans l'aventure inconnue. Nous devons assumer le fait d'être là sans savoir pourquoi. Les sources d'angoisse existantes font que nous avons besoin d'amitié, d'amour et de fraternité, qui sont les antipodes à l'angoisse[3].

Ce n'est pas en tant que jugement de ce groupe que j'écris, je n'y suis allée qu'une fois, mais sur l'idéologie qui est leur. Cette Église unitarienne qui se veut avant tout mouvement, et qui, par ce mouvement, a su évoluer. Nous ne pouvons que souhaiter que les autres Églises s'alignent aussi dans un mouvement d'ouverture.

---

3. Edgar Morin, *La Méthode. L'Éthique*, 6, Seuil, Paris, 2005, p. 1114.

Dogmes inventés
Sacrements relevant de la magie
Dieu on se sert du nom
Effacez-vous
Et que prenne place
L'Amour propagé
La solidarité engagée
Un monde adulte
Conscient et responsable

En mouvement vers des valeurs

L'ENSEIGNEMENT DES VALEURS UNIVERSELLES, comme l'éthique, contribuerait à l'avancement d'une société en mouvement et en quête d'unification si cela se trouvait transmis, à l'école, par des professionnels qualifiés.

Au cours des siècles, les religions ont toujours provoqué des guerres intestines multiples et désastreuses. Une société qui transmettra et enseignera à l'école des valeurs fondamentales comme l'honnêteté, la justice, le respect de la vie et du bien d'autrui, etc., inculquera à ses jeunes, qui représentent la société de demain, le sens des responsabilités bien davantage que l'apprentissage d'une religion tissée de mythes et d'éléments apparentés aux sectes. L'enfant doit apprendre à se réaliser, à devenir un élément constructif pour cette société. Ce qui n'empêche pas d'acquérir une base de connaissances en histoire des religions, de sorte qu'il se convaincra lui-même que « la fonction propre de la religion devrait être d'imprégner de lumière toute la vie profane, publique et privée, sans jamais aucunement la dominer. [...] Pour que le sentiment religieux procède de l'esprit de vérité, il faut être totalement prêt à abandonner sa religion [...], au cas où elle serait autre chose que la vérité[1] ».

Selon Alexis Carel[2], l'Église a tout faussé, tout falsifié, tout divisé. On sépare la liberté de la responsabilité, la moralité de la conduite, le sexe de l'amour, l'esprit de la chair, la raison de la volonté, les races l'une de l'autre, la vie intellectuelle de la vie affective, la religion du vivre et le bien du mal. Que d'exemples avons-nous de ce freinage de l'évolution que les évêques se sont souvent appliqués à maintenir ! Pensons seulement au débat suscité par la déconfessionnalisation dans les écoles : ce qu'on nous présentait comme un droit des enfants ne reflétait que l'imposition biaisée de la religion. Les parents, pratiquants catholiques, qui réclamaient l'enseignement de la religion dans les écoles ont prouvé une fois de plus qu'ils étaient

1. Citations de Simone Weil (1909-1943), grande philosophe et écrivain française, bien connue pour ses nombreux écrits. Sur le plan religieux, Simone Weil évoluait vers le mysticisme chrétien sans illusion et définissait le christianisme comme « la religion des esclaves par excellence ». Elle refusa de se convertir au christianisme, malgré la foi qui l'habitait. En 1942, elle donna au cléricalisme le plus cinglant des soufflets en écrivant : « Je suis prête à mourir pour l'Église plutôt qu'à y entrer, car mourir ne comporte aucun mensonge. »
2. Médecin, Prix Nobel de physiologie en 1912, connu pour ses réflexions sur la prière.

pétrifiés sous le joug des évêques, et cela n'avait rien de bien neuf. Habitués qu'ils étaient à une éducation prise en charge par les religieux, les parents se sont désengagés, laissant leurs responsabilités au clergé et aux communautés religieuses. Qu'ils réclament encore une école confessionnelle trahit leur crainte de perdre le confort que leur a toujours procuré le désengagement.

De plus, le Mouvement laïque québécois affirme que l'école confessionnelle pourrait ouvrir la porte à l'intégrisme religieux. Le courant intégriste, au Québec, se manifeste de façon évidente dans la demande des évêques de suspendre les dispositions de la Charte des droits et libertés de la personne du Québec qui garantit la liberté de conscience et de religion. On imagine facilement le résultat : toutes les religions profiteraient de cette liberté pour endoctriner la population, déjà induite en erreur lorsqu'on lui affirme que l'école, sans la religion, ne tient pas compte de la promotion de la foi.

On galvaude en abondance le droit des enfants pour justifier la démagogie de la démarche : en fait, le droit des enfants n'a rien à voir avec l'imposition de la religion par les parents. Les enfants et les adolescents n'ont pas la maturité nécessaire pour faire des choix raisonnables. Ce sont les parents qui choisissent pour eux. Quelle manipulation que de faire reposer sur les droits des enfants les désirs conformistes des éducateurs !

La doctrine, le catéchisme et les dogmes ont en quelque sorte supplanté la véritable spiritualité. La spiritualité n'est pas plus religieuse que laïque. Qu'on invoque l'abandon de la religion pour expliquer la décadence actuelle de l'humanité me semble très simpliste. Qu'on pose la question à tous les extrémistes religieux du monde ! Ceux-là sont loin d'avoir abandonné leur foi et, pourtant, ils sont souvent à la tête de régimes terroristes dont les actes ne se justifient que par leur fanatisme. Car, selon le camp choisi, le terrorisme des uns devient l'héroïsme des autres.

De tout temps, les religions ont procédé à un déplacement de valeurs extraordinaires, alors que les croyants auraient préféré le respect élémentaire dû à la personne humaine. Ne serait-il pas temps de se tourner enfin vers l'être humain ? Ne serait-il pas temps de mettre fin à l'endoctrinement dont les dogmes sont des offenses à l'intelligence et à la liberté des individus ? Les jeunes doivent savoir que la religion leur est imposée par les hommes et non par Dieu. Ils doivent être guidés pour développer un regard plus juste sur la réalité, et c'est à l'école que la connaissance de l'histoire peut leur être dispensée.

Ce qu'il faut enseigner, c'est que le doute et l'interrogation personnelle sont légitimes et nécessaires, et qu'il n'y a pas de réponse toute faite. Il faut enseigner l'honnêteté, faite d'humilité, devant ce monde qui nous dépasse. Il faut regarder les étoiles, les beautés de la nature et se laisser envahir par l'émerveillement ! Il faut regarder la réalité de la mort, source de conscience et de sagesse. Il faut admirer la vie qui est plus que ce que nous en savons et voyons. Et il faut regarder autour de nous : la vision de l'Église catholique sur les questions morales n'est plus partagée par la majorité. Le contenu de l'enseignement de la religion et les valeurs véhiculées dans nos écoles publiques ne s'harmonisent plus avec la variété des croyances de notre époque. C'est un mensonge que de soutenir des affirmations contraires.

N'y aurait-il pas lieu, pour tous les éducateurs, de réviser avec honnêteté le système d'enseignement ? L'heure n'est-elle pas venue de préparer les jeunes de manière concrète à la liberté de choix ? Le peuple a trop souffert des inepties et de l'irresponsabilité des gouvernements dont certains leaders se sont laissé dominer par la soif du pouvoir et de l'argent. Mais le vent semble vouloir tourner : aux États-Unis, Barack Obama, dont la foi en la démocratie et en la justice paraît évidente, soulève un intérêt encore jamais vu dans toutes les couches de la société. Son discours démontre qu'il aspire à « changer le monde ». Il a enclenché un mouvement d'espérance en préconisant un monde plus humain, mais il demeure lucide, conscient qu'il ne peut à lui seul abolir le mal et la violence, ni régler tout seul les conflits et les crises, entre autres, la crise économique. Le soutiendra-t-on assez? Pourra-t-il entraîner à sa suite les chefs les plus puissants du monde vers ce mouvement d'intégrité et de justice?

Valeurs inestimables
pétries d'humanité,
étouffées par des religions
se substituant à la raison,
ressuscitent aujourd'hui.

L'amour dans la joie

Ce n'est qu'au XVe siècle que le mariage fut institué par l'Église, qui le rendit obligatoire pour les hommes et les femmes qui voulaient s'engager dans une vie commune. Si l'on considère qu'aujourd'hui les femmes ne sont encore que des intruses, qu'on tolère à peine au sein de l'Église, on peut sans risquer de se tromper affirmer qu'aucune femme n'était acceptée dans cette institution, dirigée essentiellement par les hommes. N'y a-t-il donc pas lieu de croire que le mariage n'était qu'un autre instrument pour soumettre les femmes à la volonté des hommes ?

L'Église imposait la loi du « toujours » en apposant sur l'union le sceau de la perpétuité, pour le meilleur et pour le pire, sans possibilité de divorce pour ceux qui auraient à vivre un enfer ensemble. Lorsqu'on sait de quelle compassion Jésus était capable, surtout envers les femmes, on peut supposer qu'Il aurait conseillé le « divorce » plutôt que la vie de couple par obligation. L'Église n'a pas autorisé le divorce et constate la nullité du mariage (comme pour ne pas annuler), et cela seulement plusieurs siècles plus tard, lorsqu'elle a pris conscience que les couples mariés vivant des situations dramatiques se séparaient sans son autorisation. Si elle ne voulait pas perdre ses fidèles, elle devait se ranger du côté de la logique des couples malheureux. On ne peut cependant pas dire qu'elle accepte le divorce, elle le « tolère » seulement. Ne refuse-t-elle pas la communion aux divorcés remariés civilement, jouant par intimidation sur les consciences le jeu de la culpabilisation-punition ? N'a-t-elle pas inventé des procédures contorsionnées pour, d'une part, invalider un mariage et, d'autre part, interdire le remariage civil[1], indiquant ainsi qu'à ses yeux le mariage religieux demeure valide ? Et que dire de cette lettre que le cardinal Ratzinger, alors préfet de la Congrégation pour la doctrine de la foi et devenu depuis le pape Benoît XVI, adressait aux évêques catholiques en septembre 1994 ? Dans cette lettre, Mgr Ratzinger rappelait à l'ordre les évêques qui auraient permis ou toléré que des divorcés remariés aient accès à la communion. N'est-il pas étonnant que la loi de Dieu, invoquée par l'Église pour justifier ses prises de position, puisse ainsi être refaçonnée pour servir ses

1. Article 1650 du *Catéchisme catholique* (1992) : « Si les divorcés sont remariés civilement, ils se trouvent dans une situation qui contrevient objectivement à la loi de Dieu. Dès lors, ils ne peuvent pas avoir accès à la communion eucharistique, aussi longtemps que persiste cette situation. Pour la même raison, ils ne peuvent pas exercer certaines responsabilités ecclésiales. »

abus de pouvoir ? Car il est indéniable que bien des pratiques religieuses anciennes, obligatoires et auxquelles se soustraire signifiait le péché mortel et l'enfer, n'ont plus cours aujourd'hui. Pour une raison ou pour une autre, dans le but de conserver son pouvoir, l'Église n'a-t-elle pas subtilement déclaré nuls et non avenus plusieurs « articles » qu'elle avait décrétés loi de Dieu ?

Les laïcs comprennent et acceptent la nouvelle réalité du mariage et approuvent les choix des couples dont le sort se voit amélioré par le divorce ; certains évêques et prêtres aussi, mais ces derniers ne peuvent parler… ils doivent se conformer aux directives papales.

Combien de milliers de femmes ont dû supporter d'être violentées, battues et humiliées par un mari ivrogne qu'elles n'avaient pas le droit de quitter ? Combien de fois la célèbre phrase de saint Paul : « La femme doit être soumise à son mari » n'a-t-elle pas été répétée aux femmes qui s'avouaient incapables d'éprouver de l'amour pour un mari qui les bafouait ? Elles devaient se soumettre, sur tous les plans, aux exigences de l'homme avec qui elles étaient obligées d'avoir des rapports sexuels chaque fois qu'il en exprimait le désir, et cela, sans considération pour la façon dont elles pouvaient être traitées. La femme était considérée par l'Église comme un objet que l'on pouvait utiliser ou rejeter à sa guise. Au xe siècle, on se demandait même si la femme avait une âme !

On a longtemps évoqué le sort des enfants-de-parents-divorcés pour condamner le choix de mettre fin à une union désastreuse. À présent, on se rend compte que ces enfants, pour la plupart et malgré un certain déchirement, s'en sortent plutôt bien. Une loi naturelle veut que l'enfant soit capable de s'adapter à sa réalité et à son environnement. L'enfant peut même trouver un meilleur équilibre auprès de l'un et l'autre de ses parents divorcés. S'il faut choisir entre les tensions nées d'un désaccord entre les parents – on sait qu'un tel désaccord peut aussi s'accompagner de violence et d'abus – et la paix qui suit généralement un divorce, le choix ne semble pas si difficile à faire.

Bien sûr, de tout temps, il y a eu des hommes respectueux et amoureux de leur femme, des hommes pleins d'égards qui traitaient leur compagne sur un pied d'égalité, mais l'Église n'allait pas renoncer à son contrôle : hommes et femmes qui auraient pu former des couples heureux étaient maintenus dans la peur et dans l'obligation de procréer. Il fallait que les familles soient nombreuses ! Les prêtres, de par leurs fonctions, se pensaient obligés d'accuser publiquement de manquer à leurs devoirs de « bons catholiques » s'ils n'exhibaient pas plusieurs enfants. Pauvres ou riches, sains ou malades, il fallait, dans le mariage, « faire des enfants ». Et chaque famille chrétienne, digne de ce nom, devait dans toute la mesure du possible donner au moins un enfant à la Sainte Mère l'Église qui peuplait ainsi sa commune et augmentait son pouvoir. Les femmes accouchaient parfois au risque de leur vie. Combien de veufs ont dû disperser leur progéniture ? Au confessionnal, certains avaient pourtant dit au prêtre : « Ma femme a failli mourir au dernier accouchement. » C'était l'amour dans le sacrifice alors que le contraire aurait dû et aurait pu être l'amour dans la joie.

Que le sacrement du mariage obtienne encore la faveur des couples semble tout à fait irréel ! On note cependant une forte diminution des mariages « à l'église ». Il était temps ! Les mariages civils sont plus nombreux et je veux insister sur le point suivant : l'engagement entre deux personnes qui s'aiment ne devrait, en aucun cas, être validé par l'Église. Et pourquoi garder la formule « pour toujours, pour le meilleur et pour le pire » alors qu'on sait très bien aujourd'hui qu'il arrive que pour éviter le pire et pour un meilleur on se sépare ! La décision de s'engager, légalement ou pas, ou en union libre, ou de ne pas s'engager n'appartient ou ne devrait appartenir qu'au couple concerné. Et il en va de même pour la séparation ou le divorce. L'Église, constituée et dirigée par des célibataires, n'a pas à y mettre son nez.

Une publicité télévisée montrait une femme qui disait des moines, à peu près ceci : « Ils écoutent tout ce qui concerne notre vie familiale, ils sont au courant de tout, ils peuvent nous conseiller. » Aujourd'hui nous savons qu'il y a des religieux, de monastères différents, qui ont eu des relations sexuelles avec leurs dirigées et que certains d'entre eux ont eu des enfants envers lesquels ils n'ont jamais pris leurs responsabilités. Ils sont encore au cloître.

Les moines et les cloîtrés peuvent-ils s'improviser thérapeutes du couple ? Ceux qui les admirent et les consultent, bien des fois, seraient-ils ceux qui ne peuvent s'assumer et vivre de façon heureuse ? Que l'on se sente transporté, et même exalté en entendant les chants des moines, je veux bien, mais il ne faut pas perdre de vue le côté ambigu de cet appât sentimental. Il existe un si vaste champ de ressources, bien plus près de nous et de notre réalité ! Qu'on me comprenne bien ; mon but n'est pas de dénigrer ceux qui vivent dans les monastères, car la plupart sont de bonne foi et vraiment généreux. Je veux attirer l'attention sur « le bon sens » et inviter à la réflexion. La simple logique suggère de consulter des gens expérimentés dans les relations de couple, plutôt que de consulter des célibataires décrochés des réalités quotidiennes ! Que les moines et religieuses puissent conseiller les couples mariés, c'est un illogisme. Je sais par moi-même qu'après avoir connu l'amour et la vie de couple je n'ai plus le même langage ni les mêmes conseils à donner, c'est logique. Les pères de l'Église, obsédés par la sexualité à laquelle ils avaient renoncé, considéraient les relations sexuelles comme des péchés. De là l'acharnement à soumettre ces fonctions toutes naturelles à des lois.

Pendant des siècles, leur mépris de la chair et du sexe a empoisonné la vie de la majorité des couples catholiques. L'expression physique de la sexualité était régie par des règlements absurdes dont le code était dicté aux couples dans le détail. Les rapports sexuels, normalement empreints de plaisir, provoquaient un sentiment d'extrême culpabilisation qui, à son tour, conduisait souvent à des déséquilibres psychologiques graves. Le rejet de la sexualité venait en nette contradiction avec l'obligation – but ultime et seule excuse à la sexualité – de « faire des enfants ». Dans son livre *Des eunuques pour le royaume des cieux, l'Église catholique et la sexualité*, la théologienne Uta Ranke Heinemann relate plusieurs de ces aberrations : « Le plaisir n'est jamais sans péché, la sensation de plaisir sexuel est coupable, quelles qu'en soient les raisons ou les circonstances, même pour les éjaculations nocturnes involontaires. » Cette obscure conception de saint Augustin fut développée jusqu'à ses plus extrêmes conséquences. Ce problème propre aux religieux et aux prêtres – les écoulements de semence nocturnes et le degré de culpabilité qu'ils engendraient – préoccupait considérablement les théologiens. Les écrits des spécialistes, sur ce sujet, remplissent des bibliothèques entières. Elle ajoute : « Depuis toujours, les plus graves péchés de l'humanité sont réputés se commettre dans les chambres à coucher et non sur les champs de bataille, par exemple. » « Saint Augustin (†430), un des pères de l'Église, réussit à opérer une synthèse systématique entre le christianisme et l'hostilité au plaisir ou à la sexualité. Son influence sur la morale sexuelle chrétienne est incontestée : elle fut décisive pour les encycliques de Paul VI (1968) et de Jean-Paul II (1981), condamnant la pilule. Il est celui qui ouvrit la voie, non seulement pour les siècles, mais pour les millénaires qui suivirent. L'histoire de l'éthique sexuelle chrétienne a été façonnée par lui. » Cependant, le pape Jean-Paul I, qui devait bien être infaillible lui aussi, disait : « Nous avons fait du "sexe" le seul péché, alors qu'il est lié à la fragilité et à la faiblesse humaine, ce qui en fait peut-être "le moindre des péchés". » À quelle infaillibilité devrions-nous nous fier ? À celle d'un pape plaçant le sexe au plus bas niveau de l'échelle des péchés ou à celle de ses prédécesseurs ou de ses successeurs, lui donnant le rang le plus élevé sur cette même échelle ? Hélas ! Jean-Paul I, victime comme les autres des croyances et des mœurs de son époque, présentait la sexualité par la négative en l'associant à la fragilité et à la faiblesse humaine. N'est-elle pas plutôt une énergie dispensatrice d'épanouissement pour l'être humain ?

Comme bon nombre de ses pairs, saint Augustin sépare l'amour de la sexualité. Les traces de sa peur du sexe et sa crainte, à la fois personnelle et théologique, persistent encore aujourd'hui dans l'Église catholique. Pour ne citer ici qu'un exemple : les diacres, après la mort de leurs épouses, n'ont pas le droit de se remarier! Cette règle sexiste révèle bien le mépris obsessionnel du sexe et de la femme, mais il transmet également un message d'intolérance envers l'état matrimonial, pourtant validé par un sacrement: le diacre sera un meilleur diacre quand il ne sera plus encombré d'une femme et qu'il renoncera à sa vie sexuelle. Devenir diacre, c'est encourager la misogynie traditionnelle de l'Église, c'est contribuer au ralentissement de l'évolution souhaitée par les laïcs.

Les papes, théologiens et moralistes célibataires ne sont-ils pas en quelque sorte les moins qualifiés pour déterminer ce qui est bien ou ce qui est mal en matière de sexualité?

Que les autorités vaticanes imposent le célibat aux prêtres et aux diacres qu'ils ordonnent, n'est-ce pas léser ces hommes dans leurs droits naturels et humains? N'est-ce pas les priver de leur liberté fondamentale et légitime et lancer, du même coup, à l'homme le message de la femme nuisible? C'est une véritable insulte à l'endroit de la femme, qu'ils rabaissent et humilient. Le tabou ne s'arrête pas là: il y a de cela quelques années, les épouses des diacres avaient l'obligation de suivre les cours de diaconat en même temps que leur mari. Elles se voyaient investies du devoir de les soutenir dans l'exercice de leurs fonctions. Mais jamais aucune d'entre elles, possédant le même bagage académique que les hommes, n'a pu obtenir le diplôme ni, bien sûr, accéder au diaconat. Pourtant une porte s'était ouverte pour les laïques, la table était mise pour le mouvement d'ouverture. N'est-il pas regrettable que les diacres eux-mêmes ne se soient pas mobilisés pour revendiquer le droit – et non le privilège – pour leurs épouses d'accéder au même statut qu'eux ? Peut-être sans mauvaises intentions, ils se sont rendus complices des autorités d'Église dans l'exclusion de la femme comme diacre. Si tous les diacres s'étaient unis, dans un même mouvement, pour réclamer la justice, ils auraient fait figure de précurseurs, au lieu de leur apposer l'étiquette de « suiveux ». Au lieu de se soumettre bien docilement, les hommes devraient avoir le courage d'imposer l'égalité de leurs femmes et, devant le refus, de s'abstenir d'être ou de devenir diacres. Sinon, c'est un autre contre-témoignage. Une autre chance d'avancer manquée, une chance de se mettre « en mouvement », au lieu de stagner dans les normes établies.

Le célibat n'est probablement pas complètement étranger à la cause des innombrables abus sexuels envers les enfants dont clercs et religieux se rendent coupables.

Les scandales reliés à ces actes ne se comptent plus : Mont Cashel à Terre-Neuve-et-Labrador, frères enseignants en Ontario, orphelins de Duplessis, évêque violeur en Colombie-Britannique, sans oublier tous les enfants de chœur qui rapportent avoir été agressés. *Le Devoir* du

8 décembre 2008 rapportait la pédophilie qui minait aussi l'ordre des pères Sainte-Croix qui veillent sur l'oratoire Saint-Joseph et dont le silence et le secret régnaient, « laissant les victimes vieillir avec leurs blessures ou remettant de fortes sommes pour "protéger les coupables" ». À Londres, en 2001, une commission formée par l'Église catholique a fourni un rapport recommandant que soient étroitement surveillés les membres du clergé catholique, afin de protéger les enfants contre les abus sexuels. Le documentaire *Quand la vie est un combat*, le 15 novembre 2001, révèle le problème grave du célibat des prêtres responsables, selon eux, du fléau d'abus sexuels de la part des prêtres pédophiles, homosexuels et hétérosexuels. C'est le constat d'une étude effectuée sur plusieurs années par une équipe formée d'un prêtre, d'un avocat et d'autres professionnels. À tort ou à raison, les autorités de l'Église refusent d'y voir la causalité. Les retombées de ce fléau doivent être très pénibles pour les prêtres demeurés intègres. Les nouveaux cardinaux sont, dès qu'ils prononcent leurs vœux, soumis à un code leur interdisant de divulguer toute vérité pouvant faire scandale ou porter préjudice à l'Église. Cette loi du silence cherche à cacher que plus de 50 % des prêtres ne respectent pas leur engagement au célibat, qu'un réseau interne de l'Église protège les pédophiles et les abuseurs, qu'on a dénombré 120 000 prêtres qui ont défroqué pour se marier et que 15 % des

prêtres ont des activités homosexuelles. Selon l'Agence France-Presse du 28 février 2004, aux États-Unis, près de 4 400 prêtres ont été reconnus pédophiles depuis 1950, et ont été accusés d'agression sexuelle sur près de 11 000 enfants. Et combien de prêtres ont femme et enfants, malgré le rejet systématique de toutes leurs requêtes auprès des autorités ? On leur refuse le mariage ou la laïcisation en fermant obstinément les yeux sur la réalité. C'est la préservation du pouvoir qui compte. L'Église est vue comme une structure politique de pouvoir et d'argent. L'Église a jugé. Elle est maintenant jugée. La loi du silence a bloqué le mouvement… Si l'on avait parlé, les prêtres pourraient aujourd'hui se marier et vivre une vie pleine et heureuse.

Ces faits sont souvent niés par les autorités de l'Église. Comment pourrions-nous affirmer que le Christ a imposé de telles contraintes, alors que son propre célibat n'a jamais été prouvé et que Pierre, le premier pape, était fort probablement un homme ayant une conjointe ? Ce qui est certain, par contre, c'est que ce n'est qu'au XIIe siècle que l'Église a édicté cette obligation au célibat ; d'une part, pour renforcer son emprise sur la vie des prêtres et, d'autre part, pour ne plus s'engager financièrement à faire vivre la famille des prêtres mariés. Ces mesures rétrogrades et oppressantes, qui agissent souvent comme des agents provocateurs, n'ont-elles pas causé suffisamment de dégradation et de drames ? Jean XXIII, qui a été un pape d'avant-garde, a dit que la discipline de l'Église, sur laquelle elle base son refus au mariage des prêtres, peut être changée dès demain par la signature d'un pape. Nouvelle preuve que la loi de Dieu, si souvent invoquée, n'y est pour rien. N'est-il pas temps pour toute personne humaine d'en référer à sa propre conscience, à la logique, au sens des responsabilités et aux réalités de la vie qui est elle-même mouvement.

La question du célibat des prêtres soulève quantité de réflexions. Odette Desfonds, mariée à un prêtre de l'Église catholique romaine, est la fondatrice de l'association Claire Voie. Son combat rallie les centaines de femmes devenues, comme elle, des « rivales de Dieu ». Ces femmes, déchirées entre l'amour qu'elles portent à un homme et le caractère sacré des activités de celui-ci, cherchent à obtenir la reconnaissance de leur statut marital par Rome. S'appuyant sur le fait que le célibat des prêtres n'est pas un principe fondateur de l'Église[2], Odette Desfonds se fait accusatrice en citant des femmes qui ont accepté de témoigner de leur espoir ou de leur lassitude devant la négation catégorique

---

2. Le célibat ne fut imposé aux prêtres qu'en 1139, au concile de Latran. Il se justifiait par la crainte que les épouses et les enfants des prêtres mariés héritent de leurs biens. Rien à voir, donc, avec la loi de Dieu.

de leur situation. Ces femmes réclament que leur droit à une vie pleine et entière soit respecté, ainsi que le rétablissement de celui de leurs époux d'exercer leur ministère en toute quiétude et légalité.

Parmi les exceptions, le cardinal brésilien Aloiso Lorscheider révélait, en 1990, que deux hommes mariés avaient été autorisés par Rome à être ordonnés. Les hommes et les prêtres nourrissaient enfin l'espoir de vivre au grand jour et leur foi et leur relation amoureuse. Ils ne furent pas longs à déchanter. Rome n'imposait qu'une seule condition à l'ordination de ces hommes mariés : eux et leurs épouses devaient vivre comme frères et sœurs. Dichotomie, puisque la première lettre à Timothée, attribuée à saint Paul, fait état d'un critère important fixé par l'Église primitive pour sélectionner les dirigeants des communautés religieuses : ces hommes devaient être de bons époux. Pour juger de leur aptitude à la responsabilité, Paul demandait : « Si un homme ne sait pas diriger sa propre famille, comment pourrait-il prendre soin de l'Église de Dieu ? »

Dans plusieurs pays, notamment le Brésil et les Philippines, un très grand nombre de prêtres vivent en concubinage ou fréquentent ouvertement des femmes. En Afrique, le Synode des évêques avait demandé que soit relevé le célibat des prêtres, qui va à l'encontre de la culture africaine. Au Soudan, 80 % des chrétiens sont mariés selon des rites tribaux plutôt qu'à l'Église, résultante d'un compromis basé sur le fait que l'indissolubilité du mariage ne correspond pas au système de valeurs africaines.

Certains cas d'amours clandestins sont d'une telle tristesse. Des amours sacrifiés au profit d'un principe abusif dont les victimes sombrent très souvent dans la dépression ou l'alcoolisme. Je me rappelle, par exemple, un moine qui m'écrivait pour obtenir un peu de réconfort. Religieux depuis quarante-trois ans, il vivait un amour partagé avec la mère de ses enfants. Beaucoup trop habitué à sa vie servile, il n'a jamais pu abandonner son ministère. Je sais qu'il aurait préféré vivre les deux situations, mais, soumis à la stricte observance des règles de sa communauté, il a fait le choix de renoncer à la vie de famille à laquelle il avait droit. Dans l'une de ses lettres, il me faisait part de sa décision: « [...] Étant donné la consécration de tout mon être au Seigneur, y compris ma sexualité, bien plus, étant donné ma vie sacerdotale et tant de gens qui font confiance à mon ministère, je ne puis abandonner mon appartenance à Dieu pour lui appartenir, à elle. [...] J'aime mes enfants et j'aime leur mère, mais... »

Le cas d'un ancien curé de Drummondville, M. Gratien Bourgeois, est différent puisqu'il a choisi de quitter les ordres. Membre de Claire Voie, M. Bourgeois milite en faveur du mariage des prêtres. Ce fut pour lui une terrible décision à prendre. Il confiait au journaliste Lionel Perron: « C'est moi qui ai baptisé ma fille Aurélie, mais personne dans l'église ne se doutait qu'en plus d'être le prêtre j'étais aussi… le père de l'enfant ! » C'est un an après avoir vécu cette situation embarrassante qu'il a fait son choix définitif. « Quitter le presbytère représentait un saut vers l'inconnu et un renoncement aux avantages reliés à ma fonction. Mais c'était devenu tellement insupportable de voir ma fille et ma blonde en cachette que j'en ai fait un "burnout". » Depuis 1987, M. Bourgeois partage la vie de sa femme et de sa fille. Aux dernières nouvelles, il n'avait toujours pas obtenu sa laïcisation : « Rome accorde très rarement la laïcisation. Une telle reconnaissance m'aurait permis de me marier à l'église. J'ai toujours mon titre de prêtre, mais je ne peux plus exercer mon ministère. Au début, je me sentais comme un prisonnier à qui on ne voulait pas accorder le pardon. Maintenant, je n'en fais plus une obsession. »

Il faudrait que les évêques deviennent conséquents avec eux-mêmes. Qu'ils mettent les gens en garde contre la doctrine erronée qu'enseignent les sectes, qu'ils les exhortent à quitter et à abandonner les gourous qui les dirigent, eux qui – pour ceux que cela concerne – admettent en secret le mensonge, les demi-vérités et les déformations de la doctrine catholique… Pourquoi n'ont-ils pas le courage de se dissocier du pape et de la curie romaine ? Pourquoi continuent-ils à encourager ce que plusieurs d'entre eux savent être faux ? Pensent-ils ainsi sauver l'Église ? Protéger leurs postes d'autorité ? Sauver la face ? Ou encore pour ne pas décevoir ceux qui restent ? Où cette attitude mène-t-elle ?

Mépriser son corps a toujours fait partie de la doctrine du clergé catholique. Or, il n'existe peut-être pas pire façon de faire injure à la création ni pire négation de l'enseignement de Jésus : « Ses disciples lui dirent : "La circoncision est-elle utile ou non ?" – Il leur a dit : "Si elle était utile, leur père les engendrerait de leur mère (tout) circoncis[3]". » Il faut conclure que l'homme doit accepter son corps tel qu'il a été conçu avec toutes ses fonctions. Pourquoi devrait-on établir une différence entre les fonctions sexuelles et les fonctions digestives ou cérébrales ? Qu'on le veuille ou non, même le pape est né d'une relation sexuelle. L'acceptation du corps dans son entier me paraît être la véritable « action de grâce », le premier pas à franchir vers le respect de soi et de la création. De plus, enseigner cette forme de respect pourrait fort possiblement contribuer à réduire les déviations et le nombre de viols.

Que de tabous créés par l'Église autour du corps et de la sexualité ! Ainsi, tout acte d'amour accompli sexuellement demandait ensuite une purification par le jeûne et la pénitence. Toute formulation du terme juste pour désigner les parties « dites » intimes du corps devenait vulgaire. Appeler par leur nom le pénis, le vagin ou les fesses relevait

---

3. Évangile selon saint Thomas, n° 118.

du scandale. N'était-ce pas suffisant pour engendrer chez l'être humain l'obsession de l'interdit ? Non seulement l'éducation sexuelle était-elle proscrite, mais on culpabilisait les gens d'être sexués. Pas étonnant que ces tabous aient conduit les assoiffés de perfection au désir angélique. La vie religieuse devenait le plus parfait exutoire pour renier son corps ou, encore, le protéger du mal. La purification allait de pair avec la consécration et les vœux perpétuels d'immolation complète et irrévocable étaient garants du bien. Le parfait modèle du couple inséparable, jusqu'à la mort, serait représenté par le Christ et ses épouses. Il sera exigé des candidats un engagement à vie. N'y a-t-il pas corrélation entre cette abstraction dénaturée du corps et de ses fonctions, et le fait que l'on retrouve de nombreux abuseurs sexuels religieux. Aimer son corps ne peut, en aucun cas, être un péché. Le corps n'est-il pas lui-même sacré ? On se prosterne devant le tabernacle, qui n'abrite qu'un morceau de pain, et l'on traite la substance vivante et génératrice de vie qu'est le corps comme un objet du mal.

Si l'on cessait de se mépriser, si l'on s'aimait soi-même ! Reconnaissons la beauté qui nous habite ! C'est ainsi que l'amour pourra enfin s'exprimer.

Si l'amour existe entre deux personnes et qu'il s'intensifie jusqu'au désir de communion, la sexualité bien vécue peut devenir l'expression de cet amour. La sexualité peut à la fois combler et épanouir. Si la sexualité avait été présentée de façon positive, combien de souffrances et de combats auraient été évités ! Combien de crimes n'auraient jamais eu lieu et combien d'abjections n'auraient jamais vu le jour ! Présentons la vie de façon positive, plutôt que de façon négative.

Au cœur d'une spiritualité laïque, « faire l'amour » dans un esprit sain n'est-il pas quelque chose de beau, de naturel ? L'heure n'est plus à la honte et aux tabous, mais au respect et à l'appréciation de toutes les dimensions de l'être humain.

Pourquoi cette négation envers quelque chose d'aussi tangible et d'aussi réel que le corps ?

Époux de ma vie,
ma communion avec toi
en esprit et en chair
est aussi sacrée
que messe du dimanche.

À genoux ou debout

« On se joue avec les femmes de ce qu'il y a de plus sacré : les femmes ne comptent ni dans l'ordre social ni dans l'ordre moral. Oh ! J'en fais le serment et voici la première lueur de courage et d'ambition de ma vie ! Je relèverai la femme de son abjection et dans ma personne et dans mes écrits. Dieu m'en aidera. »

(Extrait d'une lettre écrite en 1837 par George SAND (1804-1876), auteure et femme libre, alors qu'elle avait 33 ans.)

« La femme est le chef-d'œuvre de Dieu, surtout quand elle a le diable au corps ! »

Alphonse ALLAIS (1854-1905)

LA FEMME A OCCUPÉ, dès la préhistoire, une place égale et même supérieure à l'homme, prestige qu'elle a ensuite perdu et qu'elle mettra des siècles à reconquérir. En effet, dans l'histoire antique, la divinité était représentée par une déesse-mère dans toutes les civilisations. La déesse était symbole de fécondité.

On a retrouvé de nombreuses figurines de déesses-mères, la plus connue étant celle de l'obèse Vénus de Willendorf [...]. Par contre, les archéologues et les paléontologues n'ont jamais exhumé de statuette représentant un dieu mâle [...]. Comme il existe une corrélation entre le sexe de la divinité vénérée et le rôle de la femme dans les rituels sacrés, on en a déduit que les populations de l'époque étaient régies par une certaine forme de matriarcat et que les femmes tenaient une place importante dans les rites religieux. Durant l'Antiquité, les femmes pouvaient exercer des fonctions sacerdotales. Dans certaines sociétés, les prêtresses jouaient un rôle égal à celui des prêtres. C'était le cas des druidesses qui, chez les Celtes, avaient les mêmes attributions que leurs collègues masculins: divination, éducation des jeunes, participation aux assemblées qui élisaient les rois... [...] Avec l'arrivée du monothéisme, les pères de l'Église ont interdit l'accès aux fonctions sacerdotales pendant au moins 2000 ans. Les trois « religions du Livre » (ainsi nommées parce qu'elles partagent le même texte fondateur: la Bible) ont expulsé l'élément féminin du divin. Le mot hébreu « Yahweh » est du genre neutre, mais ses équivalents – Élohim, Jéhovah – sont masculins, tout comme les termes Allah, Dieu, God, Dios... (*Châtelaine*, décembre 2000).

Ce n'est que lorsque le mâle a compris qu'il avait lui-même un rôle à jouer dans la procréation que sa vénération pour la femme s'est graduellement éteinte et qu'il a laissé son orgueil lui suggérer qu'il lui était supérieur. De créatrice absolue de la vie, la femme est passée au rang de réceptacle de la semence de l'homme qui représentait la fertilité pendant l'Antiquité, ce dernier étant persuadé que le sexe féminin n'avait dorénavant qu'un rôle secondaire à jouer dans la mise au monde de nouveaux êtres humains.

Le XXe siècle a marqué de façon prépondérante l'ascension de la femme au rang social et politique auquel elle avait droit comme individu autonome, apte à prendre ses propres décisions et à contrôler les éléments de son existence en tous lieux, dans toutes les sphères d'activité, sauf au sein de l'Église, chasse gardée des mâles. Ceux-ci se prétendent investis de pouvoirs conférés par Dieu et n'hésitent pas à le représenter, à parler en son nom. Or, selon eux, Dieu refuserait encore et toujours le sacerdoce aux femmes. Encore faudrait-il faire la preuve qu'Il ait parlé en ce sens ! C'était du moins le message du pape Jean-Paul II qui, sous le couvert de son énoncé pour l'infaillibilité, prétendait même interdire à ses successeurs le moindre changement à ce niveau. Donc, « femmes, résignez-vous ! » Loin d'avoir évolué, cette mentalité suggérant un Dieu misogyne n'est pas seulement stagnante mais régressive. Pourtant, même un très jeune enfant comprendrait qu'au temps de Jésus la mentalité n'était pas la même qu'en nos temps modernes. Et cela ne concernait pas uniquement la religion. Bien de l'eau a coulé sous les ponts depuis l'époque où Jésus, entouré de ses disciples, parcourait à pied la Palestine. Avec cette eau, ont disparu les préjugés et les interdits de toutes sortes à l'égard des femmes sauf, encore, dans l'Église et dans les religions musulmanes. Toute évolution nécessite remise en question et réflexion, ce que, précisément, les autorités de l'Église refusent de faire en ce qui concerne des traditions établies et des dogmes. Une évolution saine mène à une révolution des schèmes de pensée. Or, une telle révolution représenterait une menace pour le système « androcentré » de l'Église qui veut perpétuer l'attribution des fonctions sacerdotales et d'autorité dans l'Église aux hommes exclusivement. Au Canada, le statut de « personne juridique » ne fut accordé à la femme qu'en 1929, et le droit de vote au Québec, en 1940 seulement. Les évêques, se mêlant des questions politiques, s'opposaient à ce que les femmes se présentent aux urnes. Un demi-siècle plus tard, ils reconnurent que la gent féminine se composait de personnes à part entière et firent amende honorable en leur nom seulement, pas au nom de l'autorité papale ou de la curie romaine.

Les femmes, à partir des années 1960, ont compris qu'il leur fallait prendre leur place et non seulement une place dans une société qui ne souffrait aucune tentative de prise en charge. Ces dernières ont prouvé et démontré qu'elles peuvent, autant que les hommes, prendre la parole en public, écrire des livres à succès, diriger des entreprises, conduire des camions, accéder à la tête des gouvernements et concilier, bien souvent, leurs activités et leurs tâches avec les contraintes de leur vie familiale et parentale.

Dans la *Revue Notre-Dame* du 8 septembre 1992, Mgr Robert Lebel, évêque de Valleyfield, délégué au Synode sur la famille en 1980 et président de la Conférence des évêques catholiques du Canada de 1989 à 1991, fait preuve d'une ouverture peu commune au sein de l'Assemblée des évêques du Québec et d'ailleurs. Sur la place de la femme dans l'Église, il n'hésite pas à déclarer et je le cite :

> Qu'est-ce que le Christ nous a laissé à nous qui sommes aujourd'hui son Église ? Il nous a laissé la mission de proclamer la Bonne Nouvelle, il nous a donné sa loi d'amour et promis la présence de son Esprit pour nous aider à vivre selon l'évangile. Le Christ ne nous a pas laissé d'organigramme ni de description de tâches. [...] La position actuelle de l'Église sur l'ordination des femmes n'est donc pas fondée sur une exégèse du Nouveau Testament mais sur une tradition. [...] Si le fait de ne pas ordonner les femmes prêtres ou évêques est discriminatoire pour les femmes, il faut changer cela.

La grande ouverture de cet évêque est remarquable. S'il avait été écouté, aucun doute, un mouvement de renouveau aurait pris place pour faire suite à celui que Jean XXIII avait inauguré.

J'aurais aimé connaître l'appréciation de Mgr Lebel sur la Lettre du pape Jean-Paul II aux femmes, publiée le 29 juin 1995. Quel désenchantement ! Une lettre truffée de justifications qui n'a rien apporté de neuf et qui n'aura fait la preuve que de l'entêtement du pape, dont la majorité des cardinaux et des évêques se font les boucliers et les porte-parole. Je cite le cardinal Joseph Ratzinger, devenu le pape actuel sous le nom de Benoît XVI, qui était alors président de la Congrégation pour la doctrine de la foi, l'un des défenseurs du veto de l'Église face à l'ordination des femmes qui répondait au tollé de protestations suivant la publication de cette lettre: «La doctrine qui prévoit que l'Église n'a pas la faculté de conférer l'ordination sacerdotale aux femmes doit être considérée comme appartenant à l'héritage de la foi. Cette doctrine exige un assentiment définitif parce qu'elle est fondée sur la parole de Dieu, écrite et constamment conservée et appliquée dans la tradition de l'Église depuis le début.» Fondé sur la parole de Dieu, dit-il. Quelle parole de Dieu? Parole qui, selon moi, n'a jamais existé et qui n'est que parole d'homme. Selon l'Évangile apocryphe de saint Thomas, n° 118, Jésus pensait bien différemment: «Simon Pierre leur dit: "Que Marie (Madeleine) sorte de parmi nous, car les femmes ne sont pas dignes de la vie!" – Jésus dit: "Voici, moi, je l'attirerai [...] afin qu'elle aussi devienne un esprit vivant pareil à vous, les mâles!"»

Lorsque nous parcourons la lettre du Saint Père aux femmes, on n'y trouve que répétitions des principes surannés établissant la suprématie masculine que nul – ou devrais-je dire «nulle»? – ne peut ni ne pourra jamais contester. L'époque où j'ai moi-même, et pour moi-même, ardemment souhaité que les femmes puissent avoir accès au sacerdoce est bien révolue. Je suis tout de même préoccupée par la proclamation, à peine voilée, du pouvoir que s'arrogeait Jean-Paul II de décider du sort et de la destinée des femmes et je continue de me sentir solidaire de l'indignation de toutes celles qui luttent pour la reconnaissance de leurs droits. Il va sans dire que le pape actuel Benoît XVI fait sienne cette prise de position. À l'instar de plusieurs gouvernements, il utilise des comparaisons biaisées telles que : « Et que dire des obstacles qui, en de nombreuses parties du monde, empêchent encore les femmes de s'intégrer pleinement dans la vie sociale, politique et économique ? [...] Il est urgent d'obtenir partout l'égalité effective des droits de la personne et donc la parité des salaires pour un travail égal, la protection des mères qui travaillent, un juste avancement dans la carrière, l'égalité des époux dans le droit de la famille, la reconnaissance de tout ce qui est lié aux droits et aux devoirs du citoyen dans un régime démocratique. » Super ! Mais pourquoi ne mentionne-t-il pas l'Église dans cette belle énumération ? D'une part, il remercie et félicite les femmes qui se consacrent avec ardeur à la défense des droits de la femme et, d'autre part, condamne celles qui se consacrent à la défense des mêmes droits à l'intérieur de l'Église. Il est déplorable de trouver plusieurs de ses références et de ses contradictions.

Par exemple, il évoque le Livre de la Genèse[1] : « Dieu créa l'homme à son image, à l'image de Dieu. [...] Il n'est pas bon que l'homme soit seul. Il faut que je lui fasse une aide qui lui soit assortie » (Gn 2, 18). Depuis les débuts des écrits bibliques, la femme est inscrite dans un statut de subordination. Notons bien que l'aide n'est pas une notion unilatérale, mais réciproque.

En 1994, 1 200 femmes anglaises de confession anglicane ont été ordonnées prêtres. Leur Église avait statué, en 1975, que l'ordination des femmes ne pouvait rencontrer aucun obstacle fondamental d'ordre théologique. Cette longue attente a valu à ces femmes prêtres de pouvoir exercer à présent leur ministère là où les évêques anglais ont bien voulu les accepter. Il semblerait que certaines ont néanmoins la vie dure ! Des menaces de schisme faisaient reposer sur elles la responsabilité et la culpabilité. En guise de protestation devant l'ordination de ces femmes, des anglicans de toutes les couches de la société sont passés dans le camp catholique : ministres, évêques, fidèles, etc. Leur dignité ecclésiastique a valu bien des misères à ces femmes de la part de leurs confrères masculins et, pour s'en défendre, elles ont dû fonder une association, Women

---

1. Livre écrit par l'homme, pensé par l'homme, dans une mentalité tribale où le pouvoir et les honneurs reviennent à l'homme, la femme devenant synonyme d'« aide » ou de « servante ».

and the Church (WATCH), pour dénoncer le harcèlement sexuel dont elles étaient victimes ainsi que les promotions inéquitables. « Il y a plusieurs régions, en Angleterre, où une femme prêtre ne peut pas exercer son ministère : ce sont les diocèses où les évêques sont opposés à leur ordination. Moi, je n'ai pas de problèmes parce que mon supérieur, l'évêque Hereford, n'est pas misogyne » (Frances Miles, vicaire de St. Dubricius, en Angleterre depuis 1994).

Il n'y a pas que le sacerdoce qui est refusé aux femmes catholiques : en septembre 1984, Montréal recevait en grandes pompes Jean-Paul II, le patriarche que la haute hiérarchie de l'Église refuse que l'on conteste. Un grand nombre de femmes se sont opposées au discours officiel de l'Église, sur la politique et la morale sexuelle.

Déjà en 1984, le pape reconnaissait aux femmes tous les droits et toutes les libertés « qui s'accordent avec leur vocation spécifique de mères et d'épouses ». Aveugle sur les réalités d'une époque, « le souverain pontife s'oppose à la contraception, à l'avortement, aux relations sexuelles libres [...][2] ». Cette visite du Saint Père donnera lieu à la naissance du mouvement Collectif pour la liberté des femmes qui rassemblera les signatures des femmes sur deux pétitions :

---

2. Extrait de *Ces femmes qui ont bâti Montréal*, Éditions du Remue-Ménage, texte de Louise Bouchard.

l'une dénonçant les propos de l'Église (1 610 signataires), l'autre annonçant l'apostasie spontanée de 1 217 femmes. Toutes ces signatures furent dirigées à la chancellerie de l'archevêché en même temps, dans plusieurs cas, que les extraits de baptême des femmes qui avaient choisi de se retirer de l'Église catholique romaine. « Publiquement, elles ont décidé de ne plus cautionner par une appartenance officielle une vision sexiste du monde et de son organisation, véhiculée avec autorité, prestige, poids politique[3]. »

Les autorités de l'Église ne paraissent pas ébranlées ou touchées par ces gestes collectifs. Les évêques, en se taisant, se rendent complices de toutes les injustices commises envers les femmes considérées comme des sujets humains de classe inférieure, dont ils définissent le rôle comme étant un état de service et d'obéissance. Comment, dans de telles conditions, Jean-Paul II peut-il s'abriter derrière la démocratie ou, pire encore, derrière son apparente soumission à la loi de Dieu ? Une loi édictée par les hommes et non par Dieu, que nul ne connaît.

La mission première de l'Église et de tous ses représentants ne devrait plus être la conservation des traditions d'une religion fondée sur le mensonge, mais plutôt une aide à apporter aux fidèles afin de les sortir de leur ignorance. Toutes les religions reposent sur des bases mensongères, et

---

3. Louise Bouchard, 1984.

je parle autant de la religion catholique romaine que des autres. Qu'on en finisse avec ces pseudo-changements, tels que ces similiréformes (comme la poignée de main à la messe) et qu'on se consacre enfin à une véritable révolution ! Un monde d'amour, travaillant au bonheur et au bien-être des individus pour une société meilleure. N'est-ce pas ce qui devrait résumer le message chrétien et constituer l'essentiel du credo de tous les chrétiens ? La conscience individuelle peut fort bien enclencher les changements de mœurs et de coutumes qui s'imposent.

J'exhorte toutes les femmes à poursuivre leur combat avec détermination, sans verser dans le « féminisme fanatique » dont les revendications, souvent, nuisent à la cause première de ce combat. Dans un article au titre révélateur, « Féminisme : un bilan désastreux », Pascale Navarro, chroniqueuse du magazine *Elle Québec*, commente en ces termes un essai d'Élisabeth Badinter[4] : « Elle [Élisabeth Badinter] y accuse le féminisme des 15 dernières années, en France comme en Amérique du Nord, d'avoir carrément dérapé et provoqué un véritable désastre. [...] elle reproche aux féministes (pas toutes, bien sûr) d'exiger un traitement différent de celui des hommes et de jouer les souffre-douleurs, créant ainsi un fossé entre les sexes. » Badinter

4. Célèbre philosophe et féministe française, auteure de *Fausse Route*.

soutient que « si elles continuent de jouer les victimes, les femmes vont faire reculer leur condition. [...] Les femmes doivent faire valoir leurs opinions et leurs droits sans qu'on leur dise quoi faire. » Il est probablement difficile de se déprogrammer d'un rôle d'infériorité, mais renforcer l'image négative de l'homme en le diabolisant injustement atteste d'un manque d'autonomie. La féminité n'est pas une particularité, elle ne confère aucune supériorité. L'inverse est également vrai et attendre des hommes ou du gouvernement qu'ils nous accordent un statut à part n'est d'aucune utilité dans le processus d'égalité. Cela dit, la lutte pour l'égalité a toujours sa raison d'être. Pour atteindre cette égalité, la femme doit d'abord et avant tout se sentir égale. Il lui appartient de définir elle-même son rôle dans la société et dans l'Église. J'invite donc aussi les hommes à s'engager courageusement dans ce combat et à soutenir sans paternalisme les femmes qui y participent.

Ce sont les femmes qui, par leur assiduité aux activités religieuses, permettent et entretiennent le système misogyne dont elles sont exclues. Qu'elles se tournent vers des gestes plus significatifs et revendicateurs ! Je prends pour exemple un groupe de femmes de Montréal en mouvement dont j'ai entendu parler. Elles ne vont plus à l'église, vivent leur foi dans l'esprit chrétien, transcendant par les gestes d'amour (visite à une personne âgée ou malade, services rendus, écoute, soutien, etc.) les endormantes célébrations liturgiques. Les religieux aiment trop les cérémonies. Peut-être disposent-ils de plus de temps, n'ayant pas à composer avec les mêmes obligations que les mères de famille dont les horaires sont beaucoup plus chargés et exigeants.

D'après ce qu'on en sait, Jésus se tenait loin des « cérémonies » du temple. Et pour cause ! Ne déployait-Il pas surtout ses énergies sur le bien qu'Il pouvait faire à ses semblables ? Les femmes elles-mêmes pourraient provoquer un mouvement de solidarité et, ensemble, réclamer l'égalité femmes-hommes dans l'Église.

« Qui ne dit rien consent » et qui consent se rend complice.

> Femmes soumises,
> votre dignité n'est pas à genoux.
> Levez-vous.
> Prenez votre place,
> celle que l'on ne vous donne pas…
> Si vous ne pouvez être traitée égale au prêtre,
> avec qui vous travaillez,
> et avec les mêmes droits,
> n'y soyez plus du tout.
> Votre place est ailleurs.

Des modèles dépassés

AU COURS DES SIÈCLES, les papes ont canonisé des personnes qu'ils jugeaient « saintes ». Le pape Jean-Paul II est l'auteur du plus grand nombre de canonisations et de béatifications de l'histoire, parmi lesquelles se retrouvent aussi les plus contestées. Pas si loin de nous, entre autres, celle de Josemaria Escriva, le 17 mai 1992, dont la société sacerdotale est sans conteste liée à l'Opus Dei qui a détruit les tenants théologiques de la libération, en Amérique du Sud. Des multitudes de pratiquants s'y opposaient, comme se sont manifestement opposés les croyants à la béatification de Pie IX, accusé d'antisémitisme. Pie IX a instauré le dogme de l'infaillibilité des papes et celui de l'Immaculée Conception de Marie. Sa béatification est l'une des plus controversées du pontificat de Jean-Paul II. À la veille de cette béatification de Pie IX, plusieurs centaines de personnes avaient organisé une veillée à Rome, en guise de protestation. Pour les Juifs, celui qui régna de 1848 à 1876 restera le pape qui a confiné les Juifs romains dans ce qui fut le dernier ghetto européen, traité ces Juifs de « chiens » et enlevé le petit Edgardo Mortara à ses parents. Une servante catholique l'avait secrètement baptisé à deux ans, alors qu'il souffrait de fortes fièvres. L'enfant fut placé dans une institution catholique et, malgré la pression internationale, Pie IX refusa de le rendre à sa famille.

> Le 23 juin 1858, le lieutenant colonel des carabiniers pontificaux, Luigi De Dominicis, le maréchal Lucidi et le brigadier Agostini firent irruption chez les époux juifs Momolo et Marianna Mortara [...]. Ils firent réveiller leur huit fils, trouvèrent l'objet de leurs recherches, Edgardo [...] et apprirent à ses parents que l'enfant avait été secrètement baptisé : il n'appartenait plus à sa famille, mais à l'Église [...]. Ainsi débuta le drame familial des Mortara, mais aussi l'une des affaires judiciaires les plus retentissantes du XIXe siècle. [...] Au fil des siècles, non seulement de nombreux enfants juifs, mais plus généralement aussi des enfants de familles infidèles, furent arrachés à leurs parents au nom de l'Église chrétienne[1].

Le culte des saints fut établi pour prouver que les saints étaient plus grands que les païens. Il fallait que le christianisme soit reconnu comme « meilleur ». En lisant l'histoire des saints canonisés – bien que je ne souhaite en rien me substituer aux professionnels de la psychanalyse –, n'est-il

---

1. Extrait de l'ouvrage de Riccardo Calimani, *L'Errance juive*, volume II, 1996, p. 333-342. Autre référence : David J. Kertzer, professeur d'anthropologie et d'histoire, *The Kidnapping, Edgardo Mortara*, 1992.

pas étrange de constater qu'un grand nombre d'entre eux semblaient être des extrémistes (ermites, reclus ou recluses, etc.), des névropathes probables (contemplatifs, contemplatives, sujets, sujettes aux hallucinations), voire des psychotiques que l'abstinence et l'isolement prolongés ont conduit à de multiples dérèglements. Pourtant, on nous les cite en exemples à suivre. Ce sont les grands modèles proposés à tous les catholiques.

Curieux aussi que ces saints aient été choisis parmi les papes, les pères de l'Église, les fondateurs et les fondatrices de communautés religieuses, les religieux et les religieuses ainsi que les martyrs. À peu près jamais chez les laïcs ! Sauf, bien entendu, pour ce qui est des martyrs de la foi, deux ou trois dignitaires, un roi et un général. Pour n'en nommer que quelques-unes, soulignons la béatification par Jean-Paul II de l'évêque et fondateur de la Congrégation des sœurs de Sainte-Marthe, Mgr Tommaso Reggio, du père français Guillaume-Joseph Chaminade, fondateur en 1800 de la congrégation des Maristes et de l'Irlandais Joseph-Aloysius (Columba Marmion), abbé de l'abbaye bénédictine de Maredsous, en Belgique. Le pape Jean XIII, si cher au cœur des Italiens et des chrétiens du monde entier, fut béatifié en même temps que Pie IX.

On ne trouve jamais de juste milieu dans la vie des saints. Tous furent des athlètes du dépassement et leur médaille, c'était l'auréole de la canonisation. Napoléon disait : « C'est fou ce qu'on peut faire faire au monde pour des médailles ! », surtout bénites !

Dans un passé pas si lointain, pensons à l'une des saintes les plus populaires, sainte Thérèse de l'Enfant-Jésus, Thérèse Martin. Elle est morte carmélite dans un cloître français. Depuis, l'Église s'en fait une « gloire », comme la mère qui se fait une gloire d'avoir un enfant kamikaze, alors que l'Église est, en quelque sorte, responsable de cette mort provoquée par un excès de jeûnes, de pénitences et, surtout, par le froid qu'elle a dû supporter, tragique résultante des règlements cruels et insensés appliqués dans les cloîtres et fort encouragés par le pape. Qu'une jeune fille de vingt-quatre ans soit morte dans de telles conditions de vie dépasse l'entendement et relève, à mon avis, du scandale ! Aujourd'hui, si cela se reproduisait, la famille accuserait l'Église et le monastère de négligence criminelle et elle aurait recours au tribunal. Thérèse de l'Enfant-Jésus n'est donc pas morte pour la gloire de Dieu, comme l'Église veut bien le faire croire, ni pour la gloire de l'Église. C'est plutôt une « honte » qu'elle devrait éprouver. Et dire que ces mêmes autorités condamnent les sectes – où se développent les mêmes pratiques – qui obligent leurs membres à des excentricités, à des pratiques inhumaines et masochistes. Ouvrons les yeux... chez nous, dans l'Église catholique, les cloîtres ne sont-ils pas des sectes ? Pour y avoir vécu quelques années, je peux témoigner qu'ils en possèdent tous les critères : dépendance et perte d'autonomie, fuite du monde réel, isolement et réclusion dans un monde fabriqué et illusoire, vie malsaine, stricte discipline, organisation cédulaire et structurée pour ne laisser le temps d'aucune remise en question ou distraction, surprotection, lectures contrôlées ou interdites, vêtements de deuil et de pénitence, sacrifice et mortification, illumination, irresponsabilité et infantilisation, mystère, perte d'identité, idéologie linéaire sur des croyances impossibles à contester, engagement irrévocable à vie, etc. Des adeptes de l'extrême, des êtres mal dans leur peau, éprouvant le besoin de se démarquer des autres, ou des victimes de lavages de cerveaux visant ce qu'on leur présente comme étant l'idéal de la perfection et de la sainteté.

La mère de Thérèse Martin était une névrosée dont l'une des aspirations était, tout au long de sa vie, de mourir. Aujourd'hui on parle de canoniser les parents de Thérèse de Lisieux ! N'eût été de leur fille carmélite, on n'en parlerait même pas ! Il ne fait aucun doute que Thérèse fut victime d'une forte influence et qu'elle aussi désirait mourir. Inconsciemment, sans doute. Si elle criait tant après la mort, c'est que l'austérité du carmel lui pesait lourd. Je reconnais cependant le génie de la petite Thérèse qui, dans sa spiritualité enfantine, se retranchait nettement du jansénisme[2] de

---

2. Doctrine de Jansénius (XIIe siècle), qui privilégiait entre autres l'initiative divine face à la liberté humaine.

son époque. N'eût été de sa mort prématurée, peut-être aurait-elle pu accomplir davantage?

Tout récemment, en conduisant mon auto, j'ai entendu à la radio du Vatican, financé, paraît-il, par les Chevaliers de Colomb, un poème qui invitait les hommes à devenir moines parce que la vie est trop dure, qu'elle comporte trop d'occupations et de travail pour pouvoir se nourrir d'une vie spirituelle et profonde, trop d'obligations et de responsabilités… et c'est ainsi qu'en devenant moine, en plus de leur vie intérieure que les autres ne peuvent avoir, ils seraient « saints ». C'est une fuite tout simplement. Cela peut être de la lâcheté pour une vie plus facile et sans responsabilités, par une fuite du réel et du vrai sens de la vie et de la spiritualité. C'est plus facile de se jeter dans des extrêmes plutôt que de cultiver le juste milieu, en une vie saine et équilibrée. (Je développe ma pensée dans *L'Essence de la vie* aux éditions du Septentrion.)

Qui seront les saints de demain ? Qui sera canonisé par les laïcs? Quels seront les modèles de l'avenir? Le *Petit Larousse* définit la sainteté comme étant la qualité de ce qui revêt un caractère vénérable et conforme à la loi morale. Par ignorance, on l'associe davantage au monde religieux, mais elle peut exister en l'absence de religieux, au cœur d'une vie empreinte d'équilibre et de sagesse. Pourquoi une vie « saine », par définition, en conformité avec la raison, la pondération, la sagesse, ne serait-elle pas

« sainte » ? C'est à nous de nous mouvoir dans cette optique de mouvement. Il semble que les jeunes, particulièrement, ont besoin de modèles pour se réaliser, pour se dépasser et ils cherchent ces modèles dans les extrêmes, dans ce qui sort de l'ordinaire. Enseignons-leur qu'une vie saine est, de loin, beaucoup plus « canonisante » ! Et rappelons-nous que la canonisation n'est qu'un rite de plus contenu dans les rituels de magie religieuse. Quels modèles offrir aux jeunes ? Ont-ils vraiment besoin de modèles ? Peut-être pas, puisque les modèles d'aujourd'hui ne seront pas d'actualité ou d'intérêt demain. Il est préférable, à mon avis, de les aider à trouver des balises auxquelles ils pourront se référer, par une habitude de réflexions qu'on devrait leur apprendre à développer dès les études secondaires.

La spiritualité de la vie que je préconise est bien différente des concepts de l'Église. Le culte du héros n'y aura plus sa place, l'écart entre l'estime témoignée aux gens « extraordinairement » ordinaires et la vénération accordée aux saints, aux stars et aux vedettes sera réduit de manière significative. Pour les laïcs, entretenir sa santé physique, psychique, morale et intellectuelle, au cœur même d'un monde séducteur et consommateur, n'est-ce pas en soi une ascèse digne de sainteté et plus méritante ? J'ai habité dans des communautés religieuses pendant une quinzaine d'années et je suis revenue dans le monde depuis bientôt trente ans. J'ai découvert que les vrais saints peuvent être des gens ordinaires, ceux qui vivent sainement leur vie quotidienne. Ils ne fuient pas la vie dans ce qu'elle a de concret, mais assument leurs responsabilités, vivent les joies et affrontent les peines du quotidien de façon naturelle et aimante. J'ai beaucoup d'admiration pour ces gens-là, qu'on ignore pourtant. Si j'avais à canoniser quelqu'un, ce serait surtout les personnes de cette catégorie : ces femmes qui ont su aimer les nombreux enfants que leur imposait l'Église, ces femmes et ces hommes vaillants que sont nos parents, qu'ont été nos grands-parents et tous ceux des générations qui nous ont précédés, qui ont aidé à bâtir, avec tant de générosité, ce dont la société peut jouir aujourd'hui.

Il serait à souhaiter que la séparation d'avec le monde, pour une hypothétique sanctification, fasse place à l'intégration au monde ; que ne soit plus louée la vie religieuse consacrée, mais la vie naturelle vécue dans l'ordinaire et la sagesse, sans les obligations ou les idéaux imposés ; que ce ne soit plus la virginité et le célibat qui soient considérés comme les plus hautes vertus, mais le don de la vie ; que les modèles donnés ne soient plus les « saints », ces extrémistes, mais les gens ordinaires qui réussissent leur vie dans l'équilibre et la sagesse.

Cela n'empêche personne de féliciter ceux qui ont combattu pour la paix, tels Gandhi et bien d'autres. Louons ceux qui ont travaillé à améliorer la société ou qui ont soulagé la misère humaine. Je pense, entre autres, à mère

Teresa. Le dévouement et la grande charité dont elle a fait preuve sont dignes de mention. Elle a toutefois été victime de l'institution de l'Église et les religieuses de sa communauté en ont souffert. Elle encourageait la procréation, ce qui était contradictoire avec son combat contre la misère présente en Inde. Si elle n'avait pas représenté l'Église, aurait-elle dévoilé une des faces cachées de son intelligence et de son instinct afin de sensibiliser son milieu à se pencher sur le problème de natalité prolifique ? Mon respect et mon admiration vont aux gens qui ont travaillé pour une société meilleure, mon but n'étant surtout pas d'idolâtrer ni de condamner les individus.

Les saints de demain ne seront pas des « canonisés » ; on saura les reconnaître parmi ceux que l'on côtoie tous les jours… Personne n'a l'obligation d'imiter qui que ce soit, ni de prendre des modèles. La spiritualité laïque que je propose est en cette matière bien différente de la vision de l'Église. Au lieu de vouloir être comme quelqu'un d'autre, (modèles imposés), j'ai à être « moi-même. » Il faut valoriser la personne à partir d'elle-même, lui faire prendre conscience de ses talents, de ses dons, de ses possibilités propres. L'estime de soi donne confiance aux gens et leur permet d'aller plus loin. Il s'agit, en fait, de n'en référer qu'à la raison, à nos ressources, plutôt qu'à des modèles extérieurs… apprendre à être à l'écoute de soi, de nos aspirations, de nos désirs, de nos intuitions. C'est dévaloriser un être humain que de vouloir qu'il se moule sur un « autre ». Faut-il, pour être « quelqu'un », renoncer à soi-même ? La vie dans son essence et l'évolution naturelle doivent se hisser à la place qui leur revient, c'est-à-dire au-dessus des préceptes, des spéculations théologiques et doctrinales.

Comment les évêques peuvent-ils, encore aujourd'hui appeler les fidèles à la vie religieuse ? À titre d'exemple, je cite quelques extraits d'un article signé par un évêque[3], sur un programme paroissial du Québec, mis sur pied comme projet-pilote par trois prêtres et une religieuse. Le but avoué du programme L'Appel était de « sensibiliser les paroissiens et paroissiennes aux diverses vocations et de les aider à dépister des personnes ayant les qualités requises pour une vocation consacrée. [...] je dirais qu'on veut réveiller les paroisses, les communautés chrétiennes, à leur responsabilité, à leur rôle très important dans l'éveil et l'interpellation des vocations. Nous-mêmes, prêtres, religieuses et religieux, devons redire notre bonheur d'avoir été choisis pour une vocation consacrée, redire aussi à nos fidèles et à nos familles le besoin de telles vocations dans l'Église et, enfin, ne pas craindre d'interpeller avec discernement les personnes qui auront été indiquées ou que nous aurons dépistées nous-mêmes ». Si les gens sont bien

3. Mgr Gérard Drainville, évêque d'Amos, dans la revue *L'Église canadienne*, novembre 1994.

intentionnés dans leur zèle apostolique, il n'en reste pas moins que ce genre d'approche n'est que manipulation par un langage erroné, dans l'intention d'exercer une pression sur ceux qui sont plus influençables, naïfs et confiants.

N'y a-t-il pas aussi, dans ces « appels aux vocations », une dichotomie évidente ? Jésus, dans l'évangile, nous dit d'aller vers les autres, les veuves, les orphelins, les prisonniers et d'aider notre prochain. Or, l'Église nous dit que Jésus veut pour Lui seul toutes ces femmes, enfermées dans des cloîtres pour ne s'occuper que de Lui, leur époux !

Somme toute, c'est de maintenir ces femmes dans un monde illusoire que de leur faire croire que Jésus représente un époux. C'est aussi les priver des plus belles choses de la vie, d'un monde « ordinaire » qui peut se révéler plein de découvertes enrichissantes. Les vœux et la profession de ces femmes les poussent vers la fuite des réalités de la vie. J'ai vécu cinq ans dans des monastères de carmélites. Je peux affirmer que la vie qu'on y mène est vraiment malsaine et je pourrais donner de multiples exemples. Je n'en donnerai que trois :

- Sur le plan physique : jeûne sévère à différentes périodes de l'année ;
- Sur le plan psychologique : toute une vie dans le même monastère, cloîtrée, sans permissions de sorties,

obéissance absolue à un règlement très strict, sanctions et craintes de « pécher » ;
- Sur le plan moral : introspection, auto-accusations hebdomadaires de ses manquements (devant la supérieure et toutes les sœurs) et de ses péchés au confessionnal.

Et c'est Dieu qui veut cela ? Aujourd'hui, dans le monde et avec le monde, je mène une vie véritablement « saine » et libre. Si Dieu existe, je crois me soumettre davantage à sa volonté en profitant des œuvres si belles de la création, plutôt que de m'enfermer pour ne pas les voir. J'ai pitié de ces religieuses cloîtrées qui se privent inutilement de tout, selon moi ! L'ascèse exigée par la religion catholique est synonyme d'austérité, de sacrifices, de privations et de souffrances offertes au bon Dieu pour le salut des âmes. L'entretien de ces croyances primitives serait, de plus, la volonté de Dieu ! Mais qui est donc ce Dieu qui aurait besoin de la souffrance des créatures qu'Il aime pour s'assurer un semblant de glorification ?

Lorsque j'ai décidé de quitter le carmel, une carmélite, âgée de plus de 80 ans, m'a confié ceci : « Si j'avais votre âge, comme vous, je retournerais dans le monde. Il y a beaucoup de repliement sur soi dans cette vie fermée, des comportements enfantins et dépendants face aux abus des autorités qui nous traitent comme "des petites filles" ; vous faites bien de sortir pour vivre votre vie de femme.

Pour moi, disait-elle avec un certain regret, c'est trop tard. »

Un ami décédé, Mgr Roger Despatie, autrefois évêque de Hearst, me disait : « Moi, jamais je n'encouragerai cette vie-là. Je reçois leurs vœux parce que je n'ai pas d'autre choix, je suis dans une drôle de position ! » L'histoire se répète parce que beaucoup de personnes se taisent... C'est difficile d'abandonner un prestige d'évêque.

Je n'ai pas seulement été témoin de l'emprise totalitaire des autorités religieuses, je l'ai vécue moi-même. Combien de femmes talentueuses et aimantes ont été privées de brillantes carrières ou de la maternité, confinées et recluses dans ces obscurs bâtiments ! Combien sont mortes, atteintes de maladies mentales ! Depuis que j'ai réintégré ma place dans le monde, je n'ai pas cessé de réfléchir à l'importance du rôle de la femme dans notre société, du rôle qu'elle doit encore et toujours défendre contre la société elle-même et contre le machisme religieux.

Je voudrais cependant rendre hommage aux femmes religieuses d'ordres actifs, femmes courageuses et admirables qui se sont dévouées dans les écoles, les hôpitaux – malgré le poids des règlements absurdes auxquels elles étaient soumises – et qui ont donné leur jeunesse, leur santé et leur vie à des œuvres diverses. Nous leur devons beaucoup, mais ce temps est révolu. Je ne dénigre pas non plus les femmes cloîtrées ; elles sont les victimes d'une

Église rétrograde en qui elles ont mis leur confiance. Elles se prétendent « heureuses », comme moi-même je l'ai exprimé lorsque j'étais « sœur ». Je me rends compte maintenant que l'on confond bonheur et paix. Au couvent, ces femmes vivent « la paix », « coupées » du fardeau des responsabilités familiales, préservées du dérangement et des soucis du quotidien et du lendemain par une vie totalement structurée. Tout est « fourni » par la communauté et, en cas de maladie ou lorsque sonne la vieillesse, le confort est assuré, un confort plus grand que celui que peuvent se procurer les gens du monde extérieur. La paix, oui. Le bonheur au couvent, je n'y crois pas et ce que je dénonce, c'est le maintien par les autorités de l'Église d'un système mensonger, dégradant et destructeur, aux règles dépassées ne permettant pas le développement d'un moi évolutif. Le langage est trompeur. Dans le journal *Le Nouvelliste* du 10 avril 2004 et au Congrès eucharistique de 2008 à Québec, on présente les séminaristes en étude pour devenir prêtres comme ayant étant appelés par Dieu, d'un appel mystérieux; naïveté, illuminisme ? Le moins que l'on puisse dire, c'est que cela ressemble à un langage tendancieux et prétentieux. Pourquoi ne pas dire tout simplement qu'ils ont fait le choix de devenir prêtres ? Ceux qui se marient reçoivent-ils un appel mystérieux ou choisissent-ils de se marier ? Pourquoi faire une différence pour les prêtres ? Il faut démythifier ce langage qui place faussement le prêtre et le religieux et la religieuse comme étant des privilégiés appelés de Dieu.

Liberté nouée, dégradée
déploie tes ailes exploratrices vers d'autres horizons.
Défais tes liens
envole-toi en d'autres sphères
celles de l'existence humaine
ta tranquillité t'apporte la paix.
Plus exaltant est le bonheur de l'amour !

Embrigadés, impossible de suivre le mouvement

DURANT LES ANNÉES 1960, sous le règne de Jean XXIII, l'ère nouvelle tant attendue par les membres de l'Église catholique romaine, y compris les évêques, s'annonçait enfin.

Le pape Jean XXIII, grand visionnaire, homme d'ouverture et de transition, pressentait l'important écart qui ne manquerait pas de surgir entre ce que Rome proposait comme doctrines et ce qui se vivait réellement dans le monde. Ce fut la raison pour laquelle il convoqua les évêques en concile. Ce pape, reconnu comme étant celui de la bonté, avouait son désir de confronter les bureaucrates du Vatican et les évêques du monde. Grâce à lui, d'importants changements se sont produits au sein de l'Église institution. Sa principale action, le concile de Vatican II, est restée dans les mémoires. Son *aggiornamento* – terme qu'il préférait à « réforme » – se voulait une remise à jour musclée de toute l'organisation de l'Église. Ce pape, qui se préoccupait des questions internationales, a fait preuve d'une extraordinaire ouverture d'esprit en amorçant la communication entre les Églises orthodoxe, protestante et catholique. Le renouveau qu'il a provoqué dans la vie religieuse fut sans précédent. Oui, la droite religieuse se mouvait vers la gauche. Quel espoir c'était pour ceux qui avaient lutté si longtemps pour se mettre en marche. Des évêques des Pays-Bas, d'autres de l'Amérique latine et, plus près de nous, du Canada (dont Mgr Pierre Morissette et Mgr Robert Lebel, qui ont influencé positivement la promotion de la femme) ont travaillé à ce renouveau. Les fidèles du monde entier étaient à la fois satisfaits de ces améliorations et confiants en une évolution qui suivrait le rythme de la vie moderne. Ils comptaient sur une honnête remise en question des dogmes, de la doctrine et des standards établis depuis des siècles, en matière de famille, de sexualité et du rôle des femmes dans l'Église. Oui, ils espéraient qu'enfin l'Église poserait un regard plus objectif sur ces questions qui ont toujours été épongées, mais jamais débattues de façon impartiale.

Cet enthousiasme a bien vite cédé la place à la déception, face à la défaveur et au refus formel du pape de voir s'instaurer ces changements pourtant positifs et souhaitables. L'usage intempestif de son autorité freine ainsi l'évolution religieuse et va à l'encontre des positions prises par Vatican II. Ce retour en arrière se nomme une régression et embrigade les évêques. N'est-ce pas un de ses péchés ?

Garry Wills écrit dans son livre *Papal Sin* : « It is time to free Catholics, lay as well as clerical, from the structures of deceit that are our subtle modern form of papal sin[1]. » Jean-Paul II n'hésitait pas à évincer ceux qui ne pensaient pas comme lui. Nous en avons un exemple bien frappant en la personne de Mgr Jacques Gaillot, en France. Celui-ci a apporté de réels changements et il a fait naître l'espoir, mais malheureusement il a été rejeté par la Curie romaine et relevé de ses fonctions. Mgr Gaillot a osé bouger, pour suivre le parcours philosophique de Jésus, s'opposer aux directives du pape – des théologiens l'ont également fait – et il a manifesté publiquement sa dissidence avec Rome, en ce qui a trait à l'ordination des hommes mariés, aux conditions de vie des pauvres et des marginaux, au droit à la justice et à la paix, pour ne nommer que quelques-uns de ses combats. N'eût-il pas été souhaitable que d'autres évêques – du moins ceux qui, secrètement, lui donnaient raison – le soutiennent ouvertement par une intervention vigoureuse ? Leur solidarité n'eût-elle pas sauvé de l'éviction celui qu'une majorité de catholiques souhaitaient voir à la succession papale ? Comme la démocratie n'existe pas dans l'Église, il est catastrophique de constater le silence dans lequel se sont vautrés les évêques puisque le peuple,

---

1. C'est le temps de libérer les catholiques, les laïcs aussi bien que les clercs, des structures trompeuses qui sont une forme subtile du péché papal.

lui, n'a pas son mot à dire. On m'objectera que les évêques français ont fini par reconnaître l'œuvre de Mgr Gaillot… oui… mais cinq ans plus tard. Cinq années que l'ancien évêque d'Évreux aura consacrées à devenir « évêque autrement », dans le diocèse de Partenia, qu'il crée pour lutter contre toute forme d'exclusion. Jacques Gaillot travaille à Paris avec les étrangers sans papiers, les familles sans logement, les jeunes sans travail. Partenia, diocèse sans frontières, devient un espace de liberté pour les « sans (exclus) ». Renonçant à toutes les pompes ecclésiastiques, il va porter la parole là où on l'invite, il prononce tout haut ce que la majorité des croyants, y compris plusieurs de ses confrères et une grande partie du clergé, pensent tout bas. Dommage qu'il n'existe pas plusieurs Gaillot, car il est probable qu'il sera un jour reconnu comme prophète. Puisque l'Église a, de tout temps, été tentée de tuer ses prophètes[2], Mgr Gaillot, que l'on peut classer auprès des Mgr Roméro, Mandela et Gandhi[3], s'inscrit dans la longue et constante tradition des exclus de l'Église. Lorsque quelqu'un veut reprendre le flambeau de Jean XXIII, dans

---

2. À titre d'exemples, Leonardo Boff (*Église, charisme et pouvoir*), harcelé jusqu'à l'épuisement par la Congrégation de la Doctrine et le jésuite Paul Valadier (*L'éloge de la conscience*), délogé par Rome de la direction de la revue *Études*.

3. Persécutés, harcelés ou rejetés pour avoir eu le courage de leurs convictions morales.

un mouvement rénovateur, on l'exclut du troupeau. C'est la brebis galeuse! Récemment, l'abbé Raymond Gravel, député bloquiste, a dû se retirer de la vie politique: son discours différait de celui des autorités vaticanes. Et nous sommes en 2008!

Il fut un temps où les Canadiens n'étaient pas peu fiers de leurs évêques, qu'ils considéraient comme des hommes d'avant-garde! Hélas! cette fierté n'est plus. L'obéissance infantile à laquelle les soumet le pape – un pape conservateur et dictateur –, m'apparaît affligeante et humiliante. Il y a fort longtemps que je m'interroge sur la dualité dans l'attitude des évêques. Comment expliquer que plusieurs évêques tiennent deux discours différents? Ils soutiennent publiquement le pape – comme si de rien n'était – et donnent raison, dans le privé, aux laïcs qui déplorent les positions de Rome et revendiquent une réforme au sein de l'Église. À cette question, la secrétaire d'une revue épiscopale m'a spontanément répondu: « Ils ont enlevé la soutane, mais ils n'ont pas encore mis la culotte. » Cette boutade d'une bonne mère de famille ne fournit-elle pas matière à réflexion?

Interrogés par Bernard Derome, lors d'une émission télévisée en 2000, des historiens, des exégètes et des théologiens de renommée ont affirmé que Jésus n'est pas Dieu, et ont mis en doute la virginité de sa mère. Selon eux, Marie a conçu son fils de la même façon que toutes les femmes à travers les siècles. Ces spécialistes sont des gens sérieux, dont les recherches historiques sont tout aussi sérieuses. L'un des participants à cette émission, un cardinal canadien, affirme que « ce n'est pas une affaire d'histoire, c'est une affaire de foi ». C'est quand même déroutant ! Illuminisme ? Naïveté ? Ou soucis de fidélité à l'Église pour qui la foi ne doit pas être remise en question ?

Les évêques me rappellent ces enfants qui, apprenant l'inexistence du père Noël, refusent l'évidence, lui préférant leur monde imaginaire. On excusera facilement un enfant qui s'attarde dans ses chimères, mais que les évêques opposent leur mythologie à la vérité de l'histoire démontre leur soumission et révèle leur irresponsabilité envers les croyants. De moins en moins de gens ignorent que l'Église est, d'abord et avant tout, une institution politique dont les dirigeants veulent garder le pouvoir. De moins en moins de gens reconnaissent, en cette église, celle du Christ. Les évêques seront-ils, une fois de plus, devancés par la logique des laïcs ? Dans les années 1980, il y avait un mouvement laïque d'avant-garde, hélas les évêques n'ont pas suivi, préférant la sécurité de l'obéissance au Vatican.

Bien loin de moi l'idée de me présenter comme une redresseuse de torts et de tenter d'obtenir des évêques qu'ils me donnent raison à tout prix. Je reconnais qu'il leur serait impossible d'en arriver là, et je n'en fais pas un combat personnel. Je me rends seulement compte qu'ils se croient obligés d'obéir aux autorités vaticanes. Nous sommes au XXIe siècle, mais, pour certaines parties du monde, l'évolution n'a pas encore dépassé le XIIe siècle. Les évêques s'appliquent donc à rassembler les fidèles à qui il plaît encore de se définir comme étant le « peuple élu ». Cela relève de la mythologie.

L'Église vit une crise, depuis l'élection de Jean-Paul II, une crise grave de crédibilité. Comme c'est le pape qui choisit les cardinaux, c'est le cardinal Ratzinger, devenu le pape actuel Benoît XVI, qui lui succède et emprunte la même voie conservatrice. L'évolution souhaitée par les fidèles n'a donc que peu de chances d'être amorcée. Pour ceux qui choisiraient le maintien et non l'abolition de l'Église, une Église autocéphale et laïque pourrait être une solution ; ce mouvement souhaitable aura-t-il des preneurs ?

À l'issue de cette crise déchirante qui divise les catholiques dans la plupart des pays industrialisés, qui seront les vainqueurs ? Les conservateurs qui veulent demeurer fidèles au pape, ou les avant-gardistes de gauche ? Il s'agit bel et bien d'un conflit guerrier dont l'importance sera niée par ses instigateurs, et qui demeurera imperceptible pour la majorité des fidèles.

Les évêques comprennent-ils qu'il y a urgence ? Le rapport entre les Conférences des évêques et la Curie romaine doit être réévalué au plus tôt ! Les documents des dernières années provenant de Rome transforment l'autorité des évêques en contre-pouvoir. Leurs responsabilités locales en souffrent et leur action s'en trouve paralysée, contrebalancée en permanence par le constant rappel à l'ordre de la Curie. L'obéissance servile n'a rien d'une vertu.

Les fidèles attendent une remise en question de la part des évêques, car la démocratie au cœur de l'institution de l'Église est devenue une nécessité vitale. Nous n'en sommes plus au vague désir. Souhaitons qu'ils s'accordent à eux-mêmes un temps de réflexion et qu'ils comprennent enfin que la société, en perpétuel changement, rend le mouvement perpétuel.

Les pratiquants devraient souhaiter l'intégration des laïcs (femmes et hommes) au sein des réunions épiscopales. Ces nombreux fidèles, expérimentés et, souvent, plus conscients de la réalité dans le monde, pourraient, aux côtés des évêques, diriger une Église en mutation.

Lors de l'émission télévisée *Forum des temps modernes* du 6 avril 1995, un évêque déclarait que « l'Église ne peut pas être une démocratie, elle n'en sera jamais une parce qu'elle est d'origine divine ». J'étais participante à cette émission et j'ai été très étonnée devant cette affirmation aussi conservatrice qu'antiévangélique. C'est une opposition au mouvement de gauche qui réclame la démocratie et veut elle aussi avoir son mot à dire lorsqu'il s'agit de décisions à prendre.

Mgr Maurice Couture, évêque de Québec, s'est dit outré qu'on lui ait refusé, mais accordé plus tard, de prendre la parole au Sommet des Amériques de 2001. Il y voyait un manque de démocratie qu'il déplorait. La démocratie ne doit-elle pas, par définition, s'appliquer pour tous ? Cette vision unilatérale m'apparaît choquante. Si un évêque se croit justifié de revendiquer la parole lors d'événements comme celui-là, un laïc n'est-il pas en droit, au nom de cette même démocratie, de revendiquer sa participation aux conciles et aux réunions épiscopales ? Or, nous le savons tous la plupart du temps, seuls les ecclésiastiques sont autorisés à prendre la parole lors d'événements décisifs au sein de l'Église. L'Église s'affiche à l'antipode de la démocratie ! Rares sont les laïcs qui peuvent assister – et encore, à titre d'observateurs seulement – à ce genre de réunions pendant lesquelles d'importantes décisions sont prises, et souvent au détriment « de la logique et du bon sens ». Mgr Couture ajoute qu'au Canada le nombre de catholiques est plus élevé que celui des fidèles des autres religions, ce qui lui donnerait davantage voix au chapitre. À ce que je sache, ces catholiques n'ont jamais demandé à monseigneur de les représenter. Qui donc lui a donné le pouvoir de le faire ? Combien de ces catholiques croient-ils représenter maintenant, en affichant son indignation ? Il ne s'agit pas d'empêcher un évêque de prendre la parole au Sommet (laïc) des Amériques, là n'est pas du tout la question. Je me demande seulement pourquoi son droit de le faire serait plus grand que le droit d'intervention des laïcs dans les réunions épiscopales ou les conciles.

La crise que traverse l'Église touche de nombreux secteurs :

- La place de la femme dans l'Église, dont la conduite et l'avenir sont dictés et décidés par des hommes, alors que la seule évocation d'une situation inverse leur paraîtrait aberrante ;
- Le célibat des prêtres et les nombreux scandales d'ordre sexuel chez les prêtres et les religieux. La déchéance qui s'abat sur les prêtres mariés, puisqu'une vie de couple harmonieuse n'est pas considérée comme un atout positif dans l'exercice de leur ministère ;
- Le langage ecclésiastique et religieux d'une autre époque tellement déconnecté de la réalité qu'il en devient mensonger ;
- La propagande totalitaire des mouvements tels que l'Opus Dei, qui se veut un retour vers une église des années 1920 ;
- Une hiérarchie de pouvoirs et de fonctions, dans laquelle ne peuvent s'inscrire que les hommes, etc.

Le pape n'est pas plus immortel qu'infaillible. Unis aux évêques dans une cause commune et légitime, des milliers de catholiques n'hésiteraient pas à se distancer de Rome, voire à rompre avec le Vatican. L'élection d'un nouveau pape ne serait-elle pas l'occasion, pour tous les dissidents, de fonder l'église de l'avenir ? Pourquoi ne se préparent-ils pas à l'avènement de cette Église autocéphale et laïque, plutôt qu'au règne d'un patriarche roi et maître ? Pourquoi ne pas saisir cette belle occasion pour un mouvement à l'avant ?

Jésus, le Christ, que les évêques ont choisi comme modèle, a révolutionné son époque en renversant les tables du temple et en dénonçant les pharisiens. L'heure des questions sonne depuis longtemps. Le moment n'est-il pas venu de faire retentir celle des réponses ? La philosophie chrétienne fondamentale se base – devrait en tout cas se baser – sur les enseignements du Christ. Jésus n'a jamais laissé la moindre ambiguïté sur l'application de ses enseignements, qui se résument en une phrase : « Aimez-vous les uns les autres. »

J'avoue ne pas comprendre les évêques qui, avec la prétention de l'ouverture, osent encore aujourd'hui se qualifier de représentants de Dieu et de Jésus-Christ, sans sonder les véritables sources et sans remettre en question la légitimité des droits qu'ils s'attribuent.

Je fais appel au courage et à l'honnêteté des évêques, puisqu'il ne fait aucun doute que les remises en question qui s'imposent en demandent une dose extraordinaire. Je sais qu'il faut beaucoup d'humilité pour reconnaître qu'une spiritualité laïque serait plus conforme à la philosophie de Celui qu'ils prétendent suivre. Je sais également qu'il faut beaucoup de sens de la justice pour admettre que les dogmes, les doctrines et même les sacrements ne sont qu'inventions des hommes d'Église. La discrimination et l'injustice ne proviennent certes pas des enseignements de Jésus qui, en demandant aux hommes de répandre la bonne nouvelle, leur donnait la clé qui ouvrirait toutes les portes à l'amour.

Puissent les évêques se donner la chance de devenir des pionniers ! Puissent-ils choisir d'être « en avance » plutôt qu'« en recul » ! Au lieu d'étudier des textes, puissent-ils prendre, comme référence, la « vie » et le « bon sens », et non des commissions d'étude ! Puissent-ils franchir ce premier pas vers une église révolutionnaire et en devenir les modèles dans le monde entier ! Cela, évidemment, s'ils tiennent à tout prix à maintenir l'Église. « Le nettoyage philosophique de la religion catholique n'a jamais été fait[4]. » Et il demande du courage. Mais une position claire des évêques en faveur d'un mouvement de changements radicaux pourrait aider l'évolution nécessaire. En août 2008 on nous fait part qu'un évêque d'Australie, Mgr Geoffrey Robinson, a décidé de parler en publiant un

4. Simone Weil.

livre qui remet en question les positions de Rome, sur la morale sexuelle, le célibat ecclésiastique et le statut des femmes. Il écrit : « Je n'ai pas encore rencontré d'évêque qui ne critique pas d'une manière ou d'une autre, privément, la façon dont les choses se passent au Vatican, et l'insatisfaction est répandue quant au synode. Pourquoi n'usent-ils pas de leur pouvoir collectif ? » D'après lui, cette attitude tient à un mélange de « loyauté, d'amour et de peur ». Les évêques prêtent un serment de fidélité au pape. C'est pourquoi le silence est de rigueur.

Plusieurs grandes religions s'appuient sur des écrits dits sacrés : la Bible, le Coran, etc. La Bible n'est pas un document historique dans le sens que nous connaissons aujourd'hui. J'ai compris que les faits historiques relatés n'étaient pas historiques, que les autres religions ont aussi leur « révélation ». Les chrétiens furent, à l'origine, membres d'une secte centrée sur un message et une vision d'un prophète, comme beaucoup d'autres sectes qui ont réussi. Puis c'est devenu une religion d'État avec Constantin. Il y a le christianisme et le catholicisme. Il faut voir la différence : le christianisme est centré sur des valeurs, et ses adeptes sont des chrétiens, tandis que le catholicisme, qui regroupe les catholiques, a des dogmes, une doctrine et des sacrements. C'est ce dérapage que l'Église de Rome a institué. Claude Lemoine, théologien, écrivait dans *Le Nouvelliste* du 30 mars 2002 :

On a muselé le christianisme en l'enfermant dans des structures religieuses. Les religions organisées n'ont pas seulement affadi et affaibli le message de Jésus-Christ, mais ils l'ont rendu inintelligible et invivable... On a déformé et sclérosé le Dieu vivant en l'enfermant dans des icônes et des dogmes... On doit faire table rase de tous ces ajouts et gadgets autour du message du Christ. Souvent, les intentions étaient bonnes, mais les résultats étaient néfastes. Le clergé catholique a gardé sous son contrôle et sa dépendance toutes les communautés religieuses par les trois vœux : obéissance, chasteté et pauvreté. Le même clergé a su garder les laïcs sous sa dépendance, non pas par le vœu d'obéissance, mais par la culpabilité, le péché mortel [le péché du sexe] et en gardant ceux-ci [les laïcs] dans l'ignorance... Le vrai christianisme est infiniment plus grand et merveilleux que toutes les religions officielles pseudo-chrétiennes réunies, y compris « la catholique ».

L'Église est une puissance temporelle qui a fait et défait les rois pendant plus de mille ans. Elle est aujourd'hui un amalgame intime du message initial, inspiré en grande partie des religions environnantes aux Esséniens du temps de Jésus, et des autres messages qui sont les règles internes d'une organisation financière et politique. L'Église a refusé la Réforme et elle a refusé Galilée. Le succès des peuples qui ont suivi la Réforme ne prouve pas tout, mais c'est au moins une source valide d'interrogation sur l'institution ecclésiale, qui se justifie elle-même au nom d'une révélation, événement ponctuel dans le temps passé. Cette croyance est-elle plus crédible que celle qui était vouée à Mahomet et à la révélation à laquelle croient un milliard de musulmans et que les universitaires du Coran enseignent, probablement souvent sans y croire tout à fait, tout comme nos évêques ? Beaucoup de mystiques que l'Église nous cite en exemple ont été torturés par le doute. Il n'y avait pas d'avenir, à l'époque, pour ceux qui auraient osé aller au bout de leurs doutes et interrogations. Il y a eu progrès récemment et, au moins dans notre milieu, l'Église s'est rapprochée davantage du message initial. Si les évêques choisissaient de s'instruire à tout ce qu'il y a d'humain, à la vie elle-même, à la philosophie de Jésus, aux situations des hommes et des femmes peuplant la terre, s'ils choisissaient de dépasser les livres saints, le catéchisme, les dogmes et les doctrines, ils seraient plus aptes à faire face au progrès et pourraient être plus solidaires aux gens de la société d'aujourd'hui. Les chrétiens n'en ont-ils pas assez qu'on tente de les convaincre qu'ils ont véritablement « besoin » d'une Église qui refuse de se renouveler ? Ce besoin d'une telle Église se compare tristement à celui que des enfants battus ont de leurs parents, les femmes violentées de leur mari dominateur, etc. Cette infantilisation par l'Église n'a-t-elle pas assez duré ? J'ose poser la question : faut-il à tout prix la maintenir ? Si le bouleversement qu'entraînerait son abolition demeure impensable pour les intéressés, qu'elle s'adapte au moins aux besoins de la société actuelle ! Le monde étant en mouvement perpétuel, et ce, depuis la nuit des temps, les évêques doivent reconnaître que l'éducation qu'ils ont reçue est maintenant révolue. Dans les prochaines décennies, les nouvelles générations auront une nouvelle approche, une nouvelle méthode de travail, une autre manière de penser, un nouveau regard sur la vie. Il est donc plus que souhaitable que les évêques d'aujourd'hui acceptent de s'adapter et de participer au mouvement de changement qu'ils ne pourront pas empêcher indéfiniment.

J'ai reçu, signé et retourné récemment, par Internet, la « pétition pour la dignité des femmes afghanes », dont les conditions de vie sont inacceptables. J'entrevois un premier geste concret que les évêques pourraient faire : s'afficher en faveur de la défense, de la protection et de la libération de ces femmes qu'on lapide encore, que l'on bat à mort, pour s'être rendues coupables de bagatelles. Pourquoi pas un engagement dans une action vigoureuse et ferme, invitant les chrétiens à y participer ? Ce serait suivre concrètement les enseignements de Jésus. Le temps n'est plus à entretenir une petite classe de la société, à recevoir des sacrements mythologiques et à assister à une messe du dimanche dont le langage est déconnecté de la vie quotidienne et vide de contenu spirituel. « Les Romains n'adoptèrent le christianisme qu'en le vidant de son contenu spirituel[5]. »

---

5. Simone Weil.

Que l'Esprit du Christ inspire les évêques et qu'il en résulte enfin des agissements responsables au plus grand bénéfice de tous les assoiffés de justice et de vérité. Ce sera, à n'en pas douter, le début d'une révolution positive.

Évêques soumis
pourquoi ?
La lumière ne peut-elle vous délier ?
Légitime dissidence
que de quitter l'ombre.

Spiritualité laïque

Ce ne sera plus une spiritualité de la mort,
mais une spiritualité de la vie…
Ce ne sera plus la foi en la mort, mais la foi en la vie.
Le sacré,
sa vraie place retrouvée…
Les modèles donnés,
détrônés,
donnant place aux saints de l'ordinaire…
Les dogmes renversés,
le défini par l'indéfini,
la certitude par l'incertitude…
La doctrine remplacée
par des valeurs incarnées au quotidien…
Les vertus disparaîtront…
naîtra l'adaptation circonstancielle,
appelant un élément constructif…
Le divin au cœur de l'humain…
il n'y aura plus de séparation,
les deux formant un « tout »…
N'existera plus
la religion sclérosante, dominante qui tue,

Régnera la laïcité,
imprégnée du divin et du sacré :
la spiritualité de la vie.
Société de demain
en mouvement pour
Des voies
Des jalons
De l'action

Pour contrer le terrorisme et ses multiples réseaux, les États-Unis, avec l'appui d'autres pays, s'engagent vigoureusement. Il aura fallu des grands maux comme les attentats contre les tours jumelles du World Trade Center pour que le monde se rende compte du danger de plus en plus menaçant que représente le fanatisme religieux. Je suis consciente que la question du terrorisme n'est pas que religieuse. Dans le présent contexte, c'est un choix délibéré de n'aborder que cet aspect. Je crois que Jacques Chirac, ancien président de la France, en interdisant aux femmes musulmanes le port du tchador, était conscient du danger subtil et sous-jacent que cela représentait pour un avenir lointain. Madame Micheline Milot, théologienne, professeure au Département de sociologie de l'Université du Québec à Montréal (UQAM) et auteure d'une vaste enquête sur les musulmans de Montréal, évoque, dans la revue *Châtelaine* : « Les femmes voilées prendront tous les moyens offerts par notre système pour imposer leurs valeurs » et madame Martine Turenne, auteure de l'article, ajoute: « Leurs champs de bataille: les hôpitaux, les écoles, les tribunaux. Leur arme: la Charte des droits et libertés, très sensible quand il s'agit de convictions religieuses. » De plus en plus, et de façon discrète, s'infiltre une propagande religieuse musulmane dans les pays occidentaux, religion, à mon avis, plus dangereuse que la religion catholique. Soyons sur nos gardes... Les Canadiens me semblent trop tolérants; je pense au policier qui a le droit, au nom de sa religion, de porter un turban au lieu de la casquette faisant partie du costume de la police. Si nous allions dans les pays musulmans, ils nous obligeraient à leurs coutumes. Il faut penser plus loin que notre siècle, il faut penser aux générations futures qui auront peut-être à se battre contre le fanatisme et une religion que l'on voudra peut-être leur imposer. Toutes les religions ont des groupes fanatiques. Si elle n'est pas maintenue démocratiquement, l'Institution, quelle qu'elle soit, peut glisser dans le despotisme, dans le fondamentalisme et dans le fanatisme. L'attribution des pouvoirs, même acquis par la voie démocratique, conduit inévitablement vers des abus d'autorité. L'autorité doit être capable d'autocritique, capable de se regarder et de se remettre en question.

De tout temps, sous le couvert du respect des droits et libertés, la domination de plusieurs groupes exerçant une menaçante dictature a été tolérée. Pas si loin de nous, il a fallu que des agressions sauvages et des meurtres soient perpétrés envers des policiers et un journaliste pour que l'indispensable loi antigang soit promulguée. Pourtant, les délits et les crimes étaient connus depuis longtemps ! Mon intention n'est pas de m'ériger en juge contre les groupes criminalisés, mais d'établir un parallèle avec le comportement des autorités de l'Église. Ainsi, sous le couvert du bien et de l'innocence, au cœur même des religions, s'est faufilé un mal subtil, contre la nature et contre toute raison, un mal rusé comme le renard et habile comme le serpent : « le lavage de cerveau », qui traverse les siècles, pénètre les consciences et les cultures. Comment endiguer les flots de cette épidémie ? Quelle est la meilleure voie à emprunter ? Quelles sont les pistes à suivre ? Quel désastre faut-il attendre pour réagir ? Ce n'est pas évident ; nous nous sentons démunis. Jésus est un des messagers que l'histoire nous a fait connaître, mais relancer le mouvement sur ce même Jésus, à côté d'une institution aussi rodée et experte à utiliser le pouvoir, serait une entreprise vouée à l'échec. Par contre, même si cela peut être souhaitable, abolir les religions ne réglerait pas pour autant les problèmes de guerre, même si cela pourrait susciter un certain progrès mondial. Alors, qu'est-ce qui pourrait en soi régler ce problème conflictuel entre les cultures et les nations ? Peut-être la démocratie et la charte des droits et libertés, adoptées et adaptées mondialement, en autant qu'elles soient respectées.

Les gens de l'intérieur, aussi bien que ceux de l'extérieur de l'Institution, ne pourraient-ils pas ensemble réfléchir, chercher, pour arriver à un consensus démocratique afin de poser un regard plus objectif sur ces réalités ? Mais je n'ignore pas que la démocratie, malgré qu'elle semble idéale, ne garantit ni l'intégrité ni le bon jugement face aux décisions cruciales, pour le sort de l'humanité.

Le terrorisme a également sévi au sein de la religion catholique : rappelons-nous le temps de l'Inquisition où les non-croyants étaient torturés et tués sans pitié. Attendons-nous que cela se reproduise, pour réagir ? Ce qui a eu lieu dans le passé peut se répéter sous d'autres formes. L'histoire l'a démontré et le montre encore aujourd'hui. N'est-il pas temps maintenant, par une conscience collective et partagée de s'engager à enrayer tout ce qui est faux, tout ce qui est mal, tout ce qui est ferment de guerre ?

Qui n'avance pas recule
Paix tant désirée
Que les mains et les cœurs s'unissent
En cette spiritualité laïque
D'où peut découler un humanisme
Absent de guerres et de luttes injustifiables

Pour un mouvement intelligent

En fait, si quelque chose pouvait se substituer à la religion, à mon avis, ce serait la philosophie, base de la réflexion dans tous les domaines de la vie, sur les plans pratique et moral. L'école publique, devenant école de pensée, pourrait apprendre aux jeunes à réfléchir sur les grands enjeux de la vie, à analyser, à déduire : des forums pourraient être mis en place pour donner la parole aux jeunes et ainsi les habituer à développer un mode de pensée plus raisonnée. Pendant les journées pédagogiques, au lieu de les laisser à eux-mêmes, pourquoi ne pas organiser avec eux, ainsi qu'avec des parents, des forums, des discussions, des dialogues sur l'actualité, sur la politique des différents pays, sur l'avenir de la société, etc. Ils se sentiraient plus concernés et manifesteraient, à mon avis, davantage d'intérêt à la planète Terre et à tout ce qui « grouille » près d'eux et loin d'eux... Après avoir beaucoup réfléchi sur ce qui pourrait remplacer la religion, soudain, il m'est apparu que la philosophie pourrait être la solution, à condition qu'elle évolue et soit plus près de la vie ; n'a-t-elle pas pour base un des plus importants éléments de la vie, soit la réflexion ? Quelle ne fut pas ma satisfaction de constater, dans un article de *L'Actualité*, que Jacques Godbout révèle l'existence de discussions philosophiques dans les cafés, le dimanche matin, à l'heure de la messe. Il mentionne, entre autres, les philosophes parisiens Luc Ferry et André Comte-Sponville, coauteurs de *La Sagesse des modernes*, un succès de librairie dont la particularité est l'amicale divergence entre les opinions de deux hommes. De lecture agréable, cet ouvrage permet la stimulation de l'intelligence et la liberté de philosopher, à notre tour. L'émergence des philosophes, à notre époque, prouve bien que la modernité prend le pas sur la notion des temps immuables. Reconnaissons que les sociétés traditionnelles ne sentaient pas le besoin de philosophes, puisqu'elles ne souhaitaient rien changer de leurs croyances et de leur culture. La démocratie a ouvert de nouvelles avenues. Je cite Jacques Godbout : « [...] la vie publique est séparée du religieux, les questions morales n'ont pas de réponses évidentes. » La participation de la jeune génération à l'évolution de nos systèmes de valeurs est essentielle.

C'est en grande partie à la Déclaration des droits de l'homme que serait due, selon M. Godbout, la rupture avec la tradition. Désormais, « [...] si les théocraties ont des théologiens, les démocraties auront des philosophes. [...] Philosopher est une activité naturelle. Les enfants, dès qu'ils accèdent à la parole, philosophent sans le savoir, chaque fois qu'ils demandent pourquoi, à propos de tout et de rien. Nous avons l'habitude de leur donner des réponses toutes faites. Il faudrait plus simplement les amener à préciser leurs questions, car une question bien formulée est souvent à elle-même sa réponse. » Les jeunes sont intelligents, leur soif d'apprendre ne sera jamais apaisée par la mémorisation des matières qu'ils apprennent par cœur pour les réciter ensuite comme des perroquets. Il faut leur permettre de découvrir eux-mêmes ces matières, d'en faire eux-mêmes une synthèse, ce qui développerait leur langage, leur vocabulaire, leur faculté de raisonner et qui ferait éclore une culture qui remplacerait la culture actuelle qui, admettons-le, est en bien piteux état.

Les jeunes ont perdu confiance en l'Église, en raison de ses positions disciplinaires rétrogrades. Il faut à présent se pencher sur de nouvelles façons de vivre la spiritualité, en suscitant l'avènement d'une philosophie fondée sur la réflexion, sur l'amour, sur l'ouverture, sur la liberté de choix et sur l'égalité des droits.

Bien des occasions d'évoluer ont été manquées. En effet, l'Église n'a pas entendu les voix des prophètes tels que Mgr Gaillot, Eugen Drewerman[1], Scott Peck[2], Jacques

---

1. Théologien allemand, non conformiste.
2. Psychiatre américain, auteur de nombreux livres à succès.

Grand'Maison[3]. Peut-elle avoir été aussi aveugle sur la dualité qui entoure la philosophie de ces derniers et sur celle de Jean-Paul II et de l'Opus Dei ? Du religieux à la sécularisation, l'Église devrait être celle qui, par le souffle de l'esprit, précède... Or, elle est celle qui a suivi par la force du mouvement qui la contredisait. Cependant, aujourd'hui non seulement elle ne suit plus, mais elle aspire à une réforme qui ramènerait l'Église des années 1950, dont elle est nostalgique.

Jacques Grand'Maison disait que les credos de la chrétienté ont été des écrans pour empêcher non seulement de voir la vie réelle, mais aussi de trouver des solutions. Bernés par la politique des guerres des religions, on est passé à côté des valeurs existentielles.

Eugen Drewerman compare l'Église « aux pires régimes totalitaires ». Il ajoute qu'elle est « un système broyeur d'individualités » et une « marâtre sans scrupules ».

Quant à lui, Scott Peck écrit dans son livre, *Le Chemin le moins fréquenté*[4] : « Si on a à cœur l'honnêteté et la vérité, on ne peut plus accepter que l'Église véhicule des messages faux au détriment des consciences et des personnes. [...] Aux États-Unis, trente millions d'athées passent à l'offensive. Ils ont décidé de se tenir debout. Selon eux, le grand

---

3. Sociologue et professeur de théologie à l'Université de Montréal.

4. Éditions J'ai lu, 1990.

mal innommable au centre de notre culture, c'est le monothéisme. Un article de la revue *L'Actualité* d'avril 2004 présente ainsi les choses: « Il est temps de nous fâcher. De nous tenir debout. Et de le dire clairement une fois pour toutes: la religion est une absurdité. Et une arme dangereuse. » C'est une erreur de croire que les athées n'ont pas de morale ou de valeurs. John Green fait remarquer que les incroyants, quand ils militent ou travaillent pour la communauté, sont invisibles. Ils sont pourtant très nombreux. Des ONG comme Amnistie internationale, Médecins sans frontières et Audubon sont constitués majoritairement de non-croyants. » Et Daniel Dennett commente: « Nous prenons nos devoirs civiques au sérieux, justement parce que nous ne croyons pas que Dieu viendra sauver l'humanité de ses folies. »

Le monde est souvent enveloppé d'un environnement chaotique. Pour avoir le maximum de chances de participer à un apaisement des esprits et de ramener la paix dans le monde, il nous faut combattre l'archaïsme religieux. Ainsi, au lieu de se mobiliser pour la guerre, il faut s'allier pour que l'humanité suive désormais un chemin de paix et de sagesse. Croyants, agnostiques ou athées, prenons notre liberté d'envol vers des horizons humanistes, au cœur même de la nature et de la vie. Ayons le sens des responsabilités. Le système est peut-être plus fort que nous, mais la vérité, l'honnêteté et le désir de la liberté sont de puissants moyens contre la dictature et le mensonge. Cette vérité, cette honnêteté, cet immense désir de liberté font partie de la nature profonde de l'homme. Avec une conscience éclairée, ensemble, donc, acceptons de réfléchir, provoquons le choc nécessaire pour entamer le long et intense processus intellectuel qui nous éclairera sur les choix que nous ferons. Ensemble, donnons-nous enfin des valeurs, des jalons d'avenir transparents et pétris d'humanité.

Que le mal triomphe sur le bien !
Peuple de demain
sur le chemin de la vie
avance et rénove
donne à ta descendance
un monde « meilleur »

Les accommodements déraisonnables

Mouvement rétrograde

La commission de consultation sur les pratiques d'accommodement reliées aux différences culturelles (commission Bouchard-Taylor) a éveillé et sensibilisé la société québécoise aux problèmes des immigrants qui ne s'intègrent pas, à la pertinence de les accueillir, mais elle ne semble pas avoir écouté et entendu ce que les Québécois ont dit et exprimé sur l'importance que l'on donne aux religions des autres cultures qui s'établissent chez nous et sur la place qu'on laisse, entre autres, aux arrivants musulmans intégristes (je sais que tous les musulmans ne sont pas intégristes). On leur accorde des « accommodements dits raisonnables » alors qu'en réalité cela relève de la plus pure déraison. Il arrive que la décision de la cour vise des individus au détriment des groupes. Pourquoi ? Parce que, et c'était bien « raisonnable », les accommodements étaient réservés aux personnes handicapées dont la condition physique limitative nécessite ce genre d'adaptations. Mais voilà donc que les religions se réclament d'un statut particulier ou comparable à celui des handicapés pour tenter d'obtenir des privilèges ! Est-ce que l'endoctrinement des religions amène des handicaps psychologiques qui nécessitent des accommodements ? Le problème ne vient pas des personnes musulmanes, juives ou même catholiques. Le problème est directement lié aux religions qui exigent de nos dirigeants des arrangements particuliers facilitant leurs pratiques. Une société moderne n'a rien à faire des contraintes religieuses et les instances gouvernementales responsables ne devraient pas tenir compte des religions. Toutes les religions ! Accommoder l'une ou l'autre de ces religions, c'est lui donner une importance démesurée, c'est laisser entendre qu'on pourrait adhérer aux fondements mêmes de ces croyances. Or, nous savons très bien aujourd'hui que toutes les religions, oui toutes !, sont assises sur des doctrines erronées et sur des dogmes mensongers. Comment pouvons-nous encore cautionner ainsi le culte du faux ? C'est se rendre irresponsable et, plus encore, c'est à mon avis malhonnête. C'est non seulement tolérer le mensonge, mais l'accepter et l'approuver. N'est-il pas temps de se réveiller enfin de ce long sommeil, de cet interminable coma artificiel provoqué par les autorités religieuses de toutes les confessions ? Que faisons-nous de notre responsabilité envers les jeunes à qui, encore et toujours, sont transmises des « valeurs » inexistantes ?

Aucun accommodement ne devrait être accordé en fonction d'une religion quelle qu'elle soit ! J'ai rencontré dernièrement un couple de sympathiques Égyptiens, après l'une de mes conférences. Ils m'ont dit : « Nous, nous avons quitté l'Égypte parce que la religion musulmane y est devenue trop présente et qu'elle y cause des problèmes de société. Maintenant, ici, non seulement vous les accueillez, mais vous leur déroulez le tapis rouge des privilèges. Nous vous trouvons bien naïfs dans votre intention de vous montrer gentils... » Beaucoup d'autres qui ont quitté ces pays et ont parlé, des modérés de la religion musulmane, ont été entendus ainsi que des personnes très averties, comme monsieur Sam Haroun, d'origine libanaise, diplômé de l'Université de Lyon et de l'UQAM qui a publié aux éditions du Septentrion *L'État n'est pas soluble dans l'eau bénite. Essai sur la laïcité au Québec.* L'expérience de ce dernier de trois cultures différentes, arabe, française et québécoise, a fait de lui un défenseur ardent et éclairé de la laïcité. Je me demande pourquoi sa voix n'est pas entendue... Il se pourrait que, dans les vingt à trente prochaines années, Gérard Bouchard et Charles Taylor soient blâmés pour n'avoir pas usé de la chance qui leur a été donnée par l'entremise de leur commission d'apporter ces changements, de se rallier au peuple qui demandait que cessent ces accommodements et de recommander que des clauses soient ajoutées à la Charte des droits et libertés pour régler cette question. Mais non, ils ne l'ont pas fait. À tort ou à raison ? Seul l'avenir le dira…

Et pourquoi ne l'ont-ils pas fait ? Idéalisme ? Politique de l'autruche ! Je ne comprends pas qu'on ne tienne pas compte de l'expérience sur ces questions dans d'autres pays. Comme si le Québec était à l'abri de ces tumultes, que cela ne pouvait arriver chez nous… Il faut agir avant qu'il ne soit trop tard. Le peuple a parlé. Le gouvernement s'est vautré dans son entêtement et non seulement il n'a pas écouté, mais le voilà qui favorise même la minorité intégriste. Oui, le gouvernement s'en lave les mains en laissant le libre arbitre sur la question des accommodements. Et pourquoi semble-t-il aussi détaché ? Pour des intérêts personnels ? Pour obtenir certains votes aux élections ? Pour l'argent qu'il en obtient ? Quelqu'un, quelque part, achète-t-il nos élus ? S'il en était ainsi, ce serait alors une trahison envers la nation. Ce n'est donc pas lui qui engage sa responsabilité, il la renvoie plutôt, en se libérant d'un devoir qu'il refuse d'assumer, à la société et aux autres institutions, les laissant aux prises avec le problème. Présentement, en octobre 2008, un prisonnier pour complot de terrorisme, nommé Said Namouh, d'origine marocaine, réclame pour lui un repas spécial, car sa religion lui interdit de manger du porc… et si on ne lui accorde pas, son avocat ira en cours pour l'appuyer au nom de la Charte des droits et liberté. Est-ce que cette même charte sera évoquée pour que le cuisinier ne soit pas obligé d'accéder à la demande de Monsieur ? Je crois que ça se passe de commentaires...

Dans l'espoir d'éviter des tensions et de prévenir tout dérapage, Québec mettra sur pied une ligne 1 800 pour aider les commerçants, fonctionnaires, enseignants et autres « décideurs » à traiter les demandes d'accommodements raisonnables. À ce que l'on prétend, ce serait du « cas par cas ». Selon moi, il s'agit d'un arbitrage plus qu'équivoque qui finira par générer encore plus de tensions et plusieurs ne tarderont pas à crier à l'injustice.

À mon avis, ce rapport, truffé de contradictions, dont il ressort surtout qu'on veut à tout prix sauver la chèvre et le chou, est un beau feu de paille ! La ligne 1 800-accommodements suffira-t-elle, par ce qu'elle comporte de mauvaise foi, à l'éteindre ?

On indique la porte avant à la religion catholique pour ouvrir bien grande celle de derrière au culte musulman, par exemple, retirer le crucifix des institutions scolaires pour y installer des tapis de prière dans des locaux réservés. Ou encore revendiquer la laïcité d'une part et accepter que les enseignants portent sur eux des symboles religieux d'autre part. Rien de bien cohérent. Il faut bien le dire, la commission Bouchard-Taylor avait les mains liées. Elle devait s'en tenir à la Charte canadienne des droits et libertés et à celle du Québec. Cela signifie-t-il qu'il est impossible de changer ou de modifier ce que P.E. Trudeau, premier ministre, avait décrété en son temps ? Une réponse affirmative à cette dernière question me porterait à abonder dans le sens de Pauline Marois, la chef du Parti québécois, qui préconise l'établissement d'une constitution et d'une « charte québécoise de la laïcité ». Le problème c'est que la province de Québec a une charte des droits et libertés de la personne en harmonie avec le Code civil. Le Canada a sa charte nommée Charte canadienne des droits et libertés, dont le préambule est que Dieu est l'être suprême. On ne peut alors que respecter les croyances religieuses. Les deux chartes sont en conflit. La charte canadienne a des droits fondamentaux de groupes et de langues, un respect acquis qui permet le multiculturalisme. On peut avoir gain de cause en cour au Québec, mais ensuite le parti opposé va s'adresser au fédéral et pourra gagner sa cause par la charte canadienne qui a priorité sur la charte provinciale : elle abroge la charte québécoise en invoquant toutes sortes de clauses dérogatoires. Léo Poncet, écrivait dans *La Tribune libre unitarienne* (vol. 4, nº 1, 2008) :

> Notez bien que la charte canadienne se dit une charte des droits et libertés, non une charte des droits et libertés de la personne. La personne n'est pas au cœur de la charte canadienne. Elle demeure élusive à savoir à quoi et à qui accorder les droits et les libertés. Elle se caractérise par la reconnais-

sance à la fois du « droit à la différence » et de la « différence des droits », distinction bien trouvée par Yolande Geadah. Son mélange hétéroclite de droits et de libertés est à l'origine des imbroglios et ouvre la porte à toutes sortes de dérives. Face aux requêtes d'accommodements religieux présentées devant les tribunaux canadiens, comme cela s'est vu, les juges peuvent reposer leurs jugements sur des arguments métaphysiques, tels le degré de la croyance religieuse du plaideur. Bref, vu sa nature, la charte canadienne se prête à des jugements gratuits et biscornus. En contraste, la charte québécoise donne moins d'ouverture à ce genre de dérapage car les juges à la cour du Québec sont tenus de prendre en ligne de compte les intentions du législateur. […]

Dans la charte canadienne, il n'y a aucun article qui s'apparente à l'article 10 de la charte québécoise : « Toute personne a droit à la reconnaissance et à l'exercice, en pleine égalité, des droits et libertés de la personne, sans distinctions, exclusion ou préférence fondée sur la race, la couleur, le sexe, la grossesse, l'orientation sexuelle, l'état civil, l'âge, sauf dans la mesure prévue par la loi, la religion, les convictions politiques, la langue, l'origine ethnique ou nationale, la condition sociale, le handicap ou l'utilisation d'un moyen pour pallier ce handicap. » Cet article reconnaît la valeur intrinsèque et la dignité de toute personne, la protège contre toute une série de discriminations possibles. C'est un point contentieux entre la charte québécoise et la charte canadienne.

Si le Québec reconnaissait la primauté de la charte canadienne, l'article 10 de la charte québécoise se verrait abrogé en quelque sorte, pavant la voie à toutes sortes de discriminations institutionnelles. La charte québécoise ne reconnaît que le droit à la différence, non la différence des droits. La Charte canadienne des droits et libertés joue donc à l'encontre de la charte québécoise en voulant superposer la différence des droits au-dessus du droit à la différence.

Dans la charte québécoise la laïcité est inclusive alors que dans la charte canadienne elle est « ouverte » aux ambiguïtés et aux dérapages ! Comment pouvons-nous ajuster nos tirs alors que les deux chartes s'opposent ? C'est un problème. Les deux gouvernements devraient s'entendre pour les modifications à apporter. Le code canadien crée des précédents, c'est l'envers d'une société qui se veut en évolution. Une charte ne devrait pas être en stagnation, mais en mouvement avec la société qui change. C'est une grave erreur de toujours revenir au passé, s'il peut être inspirant, il ne doit pas être stagnant. On ne peut établir des chartes intouchables.

Je suis d'opinion que les tensions seraient plus facilement évitées si l'on établissait des normes toutes simples à respecter, des règles simples à suivre et des balises simples pour nous modérer, le tout s'appliquant à toutes les confessions religieuses, sans aucun accommodement. Croire en Dieu et vivre sa spiritualité ne signifient pas pratiquer une religion. Religion signifie endoctrinement.

Les consultants rejoints sur la ligne 1 800 n'auront certes pas la tâche facile : ils devront, dans le respect de la politique du cas par cas, faire la différence entre ce qui est raisonnable et ce qui ne l'est pas. Mission impossible, d'après moi, puisque dans deux cas similaires, l'un soumis par exemple à Hull et l'autre à Québec, le répondant pourra dire oui à Hull et non à Québec, et vice versa. Retour, donc, à la case départ : frustration et confusion.

Je crois que, majoritairement, les Québécois ont demandé une charte de la laïcité comportant des consignes claires. Ne serait-ce pas la solution la plus « raisonnable » ?

Par ailleurs, Radio-Canada a rapporté en 2007 que la communauté juive hassidique d'Outremont de Montréal, qui représente actuellement 17 % de la population de cet arrondissement et dont le taux de natalité laisse prévoir une augmentation jusqu'à 35 % d'ici 2030, se retrouverait en situation d'illégalité depuis 25 ans. Ils ont, par exemple, au mépris des règlements d'urbanisme et du zonage, implanté des synagogues et un dortoir sans permis de la Ville.

Cela porte à croire que, dans dix ans, le Québec regrettera de n'avoir pas pris de mesures plus claires en regard des accommodements raisonnables. Le cas d'Outremont, dont les autorités regrettent de n'avoir pas agi quand elles auraient dû, soit 25 ans en arrière, et qui coïncide avec la sortie du rapport de la commission Bouchard-Taylor, devrait servir d'exemple à notre gouvernement. Il faut rompre ce mouvement établi par des accommodements déraisonnables.

Diane Guilbault, auteure et militante pour la démocratie et la laïcité, dit que la question des accommodements n'a rien à voir avec l'immigration, comme l'ont laissé croire les commissaires Bouchard et Taylor[1] ; elle concerne plutôt l'adhésion d'individus à une lecture fondamentaliste et politique de leur religion. Cette lecture, associée à une interprétation des chartes basée sur les croyances et les droits individuels ainsi que sur le multiculturalisme, conduit à l'amalgame de l'appartenance culturelle et de l'appartenance religieuse, cette dernière devenant pour plusieurs le fondement de leur identité. Une telle lecture incite à croire qu'il est légitime de réclamer des privilèges personnels au détriment des droits collectifs, notamment les droits des femmes.

En ce 8 novembre 2008, à la radio, on nous informe qu'en Suisse les médecins sont exaspérés, mille quatre cents excisions par année y sont pratiquées, au nom de la religion et au nom du droit des parents… Mais le droit de l'enfant lui ? Qui ne choisit pas mais subit… Il est temps qu'on se réveille et, surtout, qu'on agisse !

---

1. En 2007, le gouvernement québécois, sous la gouverne de M. Jean Charest, a établi la Commission de consultation sur les pratiques d'accommodements reliées aux différences culturelles. Messieurs Gérard Bouchard et Charles Taylor furent mandatés coprésidents de la commission.

Un appel à la conscience

APRÈS DES CENTAINES DE TÉMOIGNAGES, force nous est de constater qu'on aurait tort de rendre les immigrants eux-mêmes responsables du problème des accommodements. Je le répète, tout provient des religions. Dans la presque totalité des cas, quand on réclame un accommodement, c'est en fonction et en conséquence d'une religion.

Le début de ce nouveau millénaire est marqué par une grande soif de transparence. Cette lucidité accrue donne lieu à une intense recherche de vérité. La conscience individuelle et collective se réveille, mais elle est encore bien fragile. Accommoder pour se ranger à des arguments religieux, donc cautionner les excès, ferait la démonstration de l'incompétence destructrice des décideurs politiques. La société attend, et elle est en droit de le faire, davantage de ses dirigeants, les jeunes ont droit à plus de vérité et à un gouvernement responsable, capable de décisions impartiales dont les croyances religieuses ne sont pas parties prenantes. Comme on a pu le constater dans *Le Devoir* du

24 novembre 2008, deux universitaires émettent dans la même page leur opinion sur la laïcité ouverte, Marie-Michelle Poisson, professeure de philosophie, se positionne contre cette laïcité ouverte : « Rappelons que la laïcité est un principe démocratique ayant pour but de prémunir nos sociétés contre le retour de toute forme de théocratie. » M. Jocelyn Maclure, lui aussi professeur de philosophie, y voit plutôt « qu'elle est la voie de la juste mesure ». Selon moi, ce débat prouve en lui-même, ne vous en déplaise, qu'on n'est pas sortis du Moyen Âge. Encore une fois je le répète, si la société était vraiment évoluée, ce sujet de la religion ne serait même pas débattu, on ferait fi tout simplement de la et de toutes les religions comme étant des inventions arbitraires et farfelues des hommes d'un autre temps, et indignes de toutes croyances parce qu'elles sont fondamentalement basées sur le mensonge et la « fabrication ». Parler des religions pour y référer en application est d'une inconscience incroyable ! Il me semble que cela ne peut venir que de l'ignorance. Qu'encore aujourd'hui on accepte de dire aux enfants que l'hostie, un morceau de pain, contient le corps et le sang de Jésus-Christ relève d'une mentalité primitive, c'est le moins qu'on puisse dire… J'espère que ce présent ouvrage ouvrira les esprits à plus de lumières et de connaissances. C'est pourquoi, avant que lesdites décisions ne soient prises, je fais appel à la conscience individuelle et collective, je fais appel au

gouvernement d'aujourd'hui, aux ministres de la Culture et de l'Éducation, et à tous les détenteurs de pouvoirs, pour faire de la laïcité (qui exclut tout accommodement en relation avec la religion) un enjeu de première importance. Qu'on ajoute la laïcité à la charte des droits et libertés ! Mais non une laïcité dite « ouverte » pour accommoder les religions. La laïcité, c'est la laïcité, ce n'est pas ouvert ou fermé.

Je rappelle que l'enseignement de l'éthique et la promotion des valeurs humanitaires et universelles ouvriront plus sûrement le chemin vers la paix dans le monde que l'endoctrinement des religions qui ont toujours été des ferments de guerres.

Depuis des siècles, le Canada reçoit des immigrants d'origines diverses : Italiens, Chinois, Français, Libanais, etc. Non seulement n'avons-nous pas de problèmes avec eux, mais ils nous ont apporté et nous apportent encore une grande richesse sur les plans économique, industriel, culturel. Les immigrants dont la présence peut s'avérer nuisible sont, et c'est mon opinion la plus personnelle, ceux qui appartiennent à des religions fondamentalistes et fanatiques.

Au Canada, l'implantation de la religion musulmane n'est pas, pour le moment, alarmante, mais il ne faut pas oublier que celle-ci a pour objectif une société religieuse alors que le Québec veut une société laïque. Faut-il attendre qu'elle le devienne, comme c'est le cas présentement en

Australie, en Hollande, dans les pays nordiques et ailleurs dans le monde ? Pourquoi ne pas s'inspirer de façon préventive de l'expérience de ces pays ? Ayann Hirsi Ali a fui son pays à 22 ans pour échapper à un mariage forcé. Réfugiée aux Pays-Bas, vieille terre d'accueil, cette musulmane a adopté les valeurs libérales au point de devenir députée à La Haye et d'affirmer son athéisme. Pour avoir travaillé dans les services sociaux du royaume, elle connaît, de l'intérieur, les horreurs tolérées à l'encontre des femmes au nom du multiculturalisme. Elle combat contre l'emprise de l'Islam et répète :

> *Beaucoup* d'Européens s'interrogent aujourd'hui sur la question de l'islam. N'ayez pas peur de la controverse ! L'Europe s'est bâtie sur la controverse. La globalisation fait que nombre de jeunes issus du monde arabo-musulman viendront en Europe, même si vous tentez de les en empêcher. C'est une question de démographie. Et ils reproduiront leur système. Nous avons tout intérêt en tant qu'Occidentaux à réformer l'islam. Aux Pays-Bas, ce sont de jeunes diplômés passés par de bonnes universités, en passe de trouver de très bons emplois, qui sont allés chercher sur Internet le message fondamentaliste et ont cédé à la séduction totalitaire. Il y a des graines de fascisme dans l'islam. Nous devrions comprendre ce processus. Le choix est simple : soit les intellectuels européens ont le courage de défier les dogmes et la doctrine de l'islam, comme l'ont fait leurs prédécesseurs pour le christianisme ou le judaïsme, soit ils sont prisonniers de

l'idée qu'une minorité doit être tolérée et abandonnée à son propre sort. Si cette dernière option l'emporte, nous aurons encore plus d'attentats et nous perdrons de jeunes esprits brillants emportés par la folie du totalitarisme.

« Pourquoi le témoignage des victimes de l'Islam n'ont-ils pas davantage d'écho dans notre société ? »

Au Pakistan, plus de mille femmes ont été exécutées en 2007, cinq ont été ensevelies vivantes parce qu'elles préféraient épouser l'homme de leur choix plutôt que le cousin qu'on voulait leur imposer. La doctrine islamique est souvent à sens unique. C'est une loi rétrograde considérant la femme inférieure à l'homme. Et on nous demande de faire preuve d'ouverture d'esprit envers les intégristes islamistes ! Pourquoi, en fin de compte, ne serait-ce pas à eux de s'ouvrir à nous ? Dans le *Journal de Montréal* du 7 octobre 2008, le journaliste Richard Martineau écrivait : « Pourquoi c'est toujours à nous, les démocrates, les Occidentaux, nous qui mettons la loi de Dieu en dessous de la loi des hommes, de nous mettre à genoux ? De toujours tendre la main ? De toujours présenter l'autre joue ? » Plus loin dans ce même article, il poursuit : « Jamais on n'aurait pu prévoir que l'Angleterre allait un jour accepter la charia. Aujourd'hui, c'est chose faite. Qui sait ce qui nous attend demain ? »

La doctrine religieuse est un poison qui s'insinue dans les veines de ceux à qui il est injecté. Il fausse les valeurs qui devraient enrayer le fléau de l'endoctrinement. La jeunesse ne sera en mesure de relever les défis de l'avenir que si on lui apprend à cultiver les valeurs que sont la justice, le respect, la paix (absence de guerre), l'écologie, etc., toutes ces valeurs qui doivent supplanter les attachements primitifs, émotifs et ignorants aux obligations imposées par les religions. L'État serait en mesure de fournir aux jeunes les outils nécessaires à l'éclosion d'adultes responsables en passant par l'ajout de clauses pertinentes à la charte des droits et libertés et à la constitution.

Les politiciens ont à relever le défi de prendre de décisions responsables. Ils doivent, enfin, prioriser autre chose que les intérêts personnels, électoraux ou partisans.

Aujourd'hui, nous sommes suffisamment instruits pour non seulement combattre l'endoctrinement, mais pour l'empêcher. La politique doit divorcer des religions et mettre fin à leur duplicité et au conservatisme. Fort malheureusement, il semble que l'on ait encore un pied dans l'époque moyenâgeuse alors que l'autre veut aller de l'avant. Les mentalités obscures issues du Moyen Âge représentent une entrave à l'évolution et à la liberté de penser.

Toutes les époques ont eu leurs folies, dont la religion n'était pas la moindre. Oui, une folie, un non-sens, un mensonge éhonté ! Si, par simple respect, nous devons nous abstenir de nous en moquer, il ne faut pas pour autant continuer de les encourager. Au contraire, il est essentiel d'instruire, d'informer, pour permettre de découvrir leur dimension nuisible à l'évolution de l'humanité. La société d'aujourd'hui est encore loin de la maturité. Il lui reste beaucoup de chemin à parcourir.

> Sortir de l'ignorance
> On est encore autant adulte qu'enfant
> L'homme aussi évolué que retardé
> L'arnaque a traversé les siècles
> Aussi étonnant qu'invraisemblable
> On s'est tous laissé avoir
> Car, ignorer, c'est consentir
> La bêtise qui a servi et qui nuit
> On ne préfère pas voir
> À qui le dernier mot
> La peur de la vérité
> L'inconsciente stupidité
>
> Jean-Paul Michon

Dans un mouvement énergique pour une société d'État intègre

Le fanatisme religieux menace aujourd'hui la planète entière – celui, bien sûr, des intégristes musulmans dans les pays en développement, mais aussi celui de la droite religieuse du monde chrétien. Les marchands d'armes se réjouissent des tensions que cette menace suscite entre les deux camps. Leur chiffre d'affaires va croissant alors qu'ils attisent le feu de la haine, d'où qu'ils proviennent. Personne, dans ces conditions, ne peut prétendre à la spiritualité. Ceux qui vivent de ce commerce ou qui en deviennent complices en se taisant, ceux qui ne sont guidés que par l'appât du gain, ceux qui font fi de toutes autres valeurs, doivent être dénoncés ; c'est l'unique façon de remédier au problème.

Avec un recul dans l'histoire, nous sommes très rapides à rendre Hitler responsable de la Deuxième Guerre mondiale. Sans vouloir l'absoudre – comme la majorité des gens, je pense que c'était un être cruel et sans conscience –, il est à retenir que cet homme a conquis « démocratiquement » le pouvoir et que ce sont les Allemands qui ont constitué son armée. Il est facile d'imaginer que, tout seul, il aurait dû se contenter de rêver aux horreurs de cette guerre meurtrière. Sans cette gigantesque armée pour servir Hitler sous des énormes tensions, il n'y aurait jamais eu de seconde guerre mondiale. C'est cela qu'il faut conscientiser : un homme seul n'a aucun pouvoir.

Aujourd'hui, le scénario est à peu près le même : nous accusons les intégristes d'implanter chez nous leur religion dont les préceptes sont aux antipodes de nos valeurs, surtout en ce qui a trait à l'égalité entre les sexes. Mais ces brillants opportunistes savent à qui prêcher. Ils séduisent aussi bien de jeunes étudiants universitaires qui n'ont pas connu de religion, et qui ont soif d'idéaux, que des gens d'une très grande pauvreté qui désespèrent d'être écoutés et qui ne trouvent rien d'autre à quoi se raccrocher. D'un autre côté, les Américains les plus riches, ainsi que les hyperpuissants, prônent la liberté et ils affirment que tous les êtres humains naissent libres et égaux. Ils s'enorgueillissent de détenir la plupart des richesses du monde, gagnées, disent-ils, à la force du poignet. Et deux forces antagoniques ne sont pas près de se rejoindre : chacune préférera dépenser des milliards de dollars en munitions et investir dans une guerre insensée qui fera un maximum de victimes. N'est-ce pas ce que nous avons vu pendant la guerre en Irak ? Les États-Unis ont injecté chaque jour des sommes astronomiques dans l'armement et jeté leurs bombes sur l'innocente population.

Malheureusement, souvent la religion se sert de la politique et la politique se sert de la religion. Il y a une droite religieuse et il y a une droite politique qui sont complices lorsque cela sert leurs intérêts financiers entre autres…

Pour gagner les élections, les républicains n'ont reculé devant rien, tous les moyens étant bons pour étancher leur soif démesurée de pouvoir. Des vidéos truffées de mensonges circulent sur le Parti démocrate, salissant sans vergogne l'adversaire Obama, l'insultant, le ridiculisant et faisant peser sur lui les pires soupçons. S'il faut, pour s'assurer la victoire électorale, laisser croire à la population américaine qu'Obama soutient le terrorisme islamique, s'il faut alléguer qu'il ne pratique pas la bonne religion, qu'il fréquente des personnes douteuses, etc., allons-y! Aspergeons-le de notre fiel! Après tout, il n'est qu'un tout petit être humain qu'on peut essayer d'écraser sans le moindre remords, un tout petit Noir – sans doute socialiste et, pourquoi pas, plus communiste que Fidel Castro – qui entretient des idées aussi malsaines que celle du partage de richesses. Les républicains – ils ne sont pas les seuls – sèment ainsi la haine et alimentent la peur des étrangers. Pour occulter leur énorme responsabilité dans le chaos, ils montrent du doigt les musulmans pour qu'on comprenne bien que ces derniers sont à l'origine de tous les maux de la terre.

Mais, le soir du 4 novembre 2008, le vent a tourné, les troupes républicaines doivent se replier devant l'ouragan Obama qui, loin d'être un vent de destruction, soulève l'espoir non seulement en Amérique mais partout dans le monde. L'espoir, donc, d'un monde meilleur, d'un monde libre et de moins en moins menacé par le racisme, le sexisme et par la dévastation religieuse.

Aux États-Unis, il est très mal vu de ne pas s'identifier à une religion. Pis encore, cette religion doit satisfaire à des critères partisans et obtenir l'approbation des plus puissants. Ne pas être croyant est un crime… à plus forte raison l'athéisme ou l'agnosticisme. Je rêve du jour où il me suffira tout simplement d'être « moi-même, une personne, une citoyenne » et où mon nom m'identifiera, sans le soutien des mots associés à la foi religieuse, au dieu que je prierai ou ne prierai pas, à l'église que je fréquenterai ou ne fréquenterai pas.

Viendra-t-il le jour lumineux où les hommes comprendront ? Où ils verront que l'endoctrinement religieux est à la source de bien des tensions dans le monde et que les doctrines religieuses, bien cachées derrière le nom de Dieu, ne glorifient que la mort !

Quand donc les êtres humains comprendront-ils qu'aucune différence ne doit être faite entre eux, leurs origines, leurs couleurs, leurs religions et leur sexe ? Pendant plus de 20 ans, Marie-Andrée Babin s'est engagé dans l'Église catholique. Mais, quand certains ont su qu'elle était lesbienne, « on m'a gentiment montré la porte parce que j'étais une indésirable, raconte-t-elle. Subitement, je n'avais plus de valeur, plus de compétences ». Chez les humains, il n'y a pas « les bons » ou « les mauvais », ni axe du bien ni axe du mal. Rêve ? Utopie ? Peut-être… mais ne serait-il pas extraordinaire ce jour où plus personne ne serait défini autrement que comme un être humain, ce jour où les mots discriminatoires seraient bannis de notre vocabulaire ? Tant et aussi longtemps que cette opposition entre les soi-disant bons et les mauvais existera, existeront aussi les guerres de toutes sortes et la violence.

Il sera évidemment très difficile d'en arriver là... Les chartes et les constitutions existantes semblent « intouchables ». J'en arrive à souhaiter l'avènement d'un nouveau pays, un pays libre, un pays en mesure de se donner une nouvelle constitution et de nouvelles chartes pour établir son entière laïcité. Oui, il nous faudrait un nouveau pays qui établirait des valeurs saines dans un monde politique meilleur – des valeurs transmises par l'éducation. Il devient essentiel d'enseigner l'éthique, ainsi que les valeurs morales, humanitaires et universelles. C'est à ce prix qu'une véritable spiritualité, empreinte d'amour, pourra émerger du respect des lois harmonieuses de la nature, de la reconnaissance de sa beauté, de sa vérité et de ses exigences écologiques. Bref, une ascèse sans rite sacrificiel, une vie saine et équilibrée garante de santé représentent un idéal à atteindre. Il en résulterait pour tous une vie plus réussie et plus heureuse, sur le plan autant individuel que collectif.

Pour l'évolution et l'équilibre de la société, une laïcité sans faille doit de toute urgence prendre place. Nous devons nous engager sur la voie de la transparence et de la démocratie et dans une voie dépouillée de tout ce que nous savons être « le mal ». Les organismes criminels font partie intégrante de notre société alors qu'elles ne devraient pas être tolérées. C'est scandaleux de voir que l'on peut pointer du doigt une maison impressionnante et dire : « Cette maison est l'habitation des plus grosses organisations de bandits du Canada. » À Trois-Rivières, les Hells ont leur adresse, leur propriété et ça semble aussi normal que l'existence d'un hôtel de ville, d'un local de l'âge d'or, d'une salle de danse ou un aréna, comme si ça faisait partie de nos mœurs. Lorsque Mom Boucher, criminel renommé, sort de la prison pour aller au Centre Bell, il paraîtrait, selon Richard Martineau, journaliste au *Journal de Montréal*, qu'il est applaudi à chaudes mains. Ce journaliste écrivait, le 21 octobre 2008 : « L'existence du crime organisé ne choque plus personne. » Il poursuit :

> Tout le monde sait que les clubs de danseuses appartiennent aux Hells. Personne ne s'en offusque. Tout le monde sait que les agences d'escortes sont dirigées par des organisations criminelles. Personne n'est surpris de les voir proposer leurs services dans les journaux et les Pages jaunes. Tout le monde sait que le crime organisé se remplit les poches avec le trafic de cigarettes. Ça n'a jamais empêché aucun fumeur d'acheter des cigarettes illégales. Tout le monde sait à quelle station de métro ou à quel coin de rue se pointer pour acheter de la drogue. Tout le monde sait. Le crime a pignon sur rue, et ça ne nous fait pas un pli sur le nombril. On a appris à vivre avec, à le côtoyer.

La mafia a son club social. Et on pourrait certes allonger la liste... L'argent sale côtoie l'argent propre.

Il est donc important de former des jeunes capables de s'inscrire comme des modèles pour l'avenir de l'humanité. Des jeunes libérés des contraintes religieuses et aussi des sales politiques. Des jeunes préoccupés par l'avenir de la planète, respectueux de l'environnement et de toutes les espèces vivantes. Des jeunes capables de clairvoyance et de discernement devant les intentions, souvent insidieuses, des dirigeants de la planète. Des jeunes qui se distingueront par leur sens de l'éthique et par leurs talents, pour faire contrepoids aux mentalités guerrières et fratricides des intégristes de tout acabit.

Et ce pays nouveau qu'il faudrait ? J'ose penser que le Québec pourrait le devenir, une république débarrassée du féodalisme et du contrôle des systèmes religieux. Une république modèle et source d'inspirations. Je crois déceler au Québec des mentalités ouvertes et dégagées d'un passé religieux, maintenant disposées à former cette république tant de fois évoquée et souhaitée. Le Québec est-il prêt économiquement ? Je laisse aux spécialistes le soin de répondre à cette question. Cependant, un Québec indépendant et une Église séparée de Rome constitueraient le terreau idéal d'un monde en devenir humain et divin de par une spiritualité qui ne sépare pas l'un de l'autre. La nature dans toute sa beauté est en elle-même sacrée. Il faut bien commencer quelque part…

C'est tout le système religieux et le système politique établis qui doivent être renouvelés. Nicolas Sarkozy, actuel président de la France, a dit: « Le capitalisme est malade... il faut réintroduire dans l'économie une éthique, des principes de justice, une responsabilité morale et sociale. » Oui, en plus des religions, c'est la politique, c'est le capitalisme, c'est la société qui sont malades, et qui doivent être réformés. Le capitalisme est malade parce qu'on l'a laissé faire à sa guise, comme on laisse faire à leur guise les autorités religieuses et les autorités politiques. On ne peut plus laisser les dirigeants religieux et les hyperriches régler et décider pour la vie du monde. J'ai confiance en la génération des jeunes d'aujourd'hui, qui, tout comme le nouveau président des États-Unis, Barack Obama, homme intègre et qui a fait preuve d'une grande dignité, auront à cœur cette réforme mondiale qui s'impose. Il y a trop peu d'hommes d'exception comme lui, mais je fonde mes espoirs en tous ces jeunes que j'observe et dont l'intégrité et l'intelligence me semblent évidentes.

J'ai cherché ici à mettre en lumière les aberrations souvent subtiles des religions. Je n'ai, bien sûr, pas épuisé le sujet, mais ce qu'il est primordial de retenir, c'est qu'une spiritualité authentique et « propre » ne peut se vivre qu'en marge de tout lieu de pouvoir. C'est pour cela que je parle de spiritualité laïque. Les religions, quoi qu'on en dise, chercheront toujours à démontrer qu'ils détiennent la clé de la spiritualité. J'espère avoir soulevé quelques pistes vers des solutions et des réponses. J'espère aussi avoir démontré que, pour être réussie, la spiritualité doit être nettoyée de tout endoctrinement religieux.

Enfin, je souhaite que tous les humains s'intègrent dans un grand mouvement d'unité pour bâtir la société de demain. Qu'ils atteignent assez de maturité pour se détacher du passé religieux, de ses fables, de ses préceptes abusifs, de ses doctrines erronées et de ses dogmes mensongers.

Puissiez-vous tous, chers lecteurs, vous joindre à ce mouvement de libération, vous connecter à la vie présente et à ses véritables priorités. Puissiez-vous trouver le bonheur en vous-mêmes, grâce à la laïcité et à une spiritualité nouvelle. Oui, une laïcité dans toute sa fraîcheur et son naturel. Oui, une spiritualité, ce jet de l'âme et de l'esprit qui se rend présent à la nature et à l'humain, ne le fuit pas, mais l'embellit. Le temps qu'on prend pour être présent à soi-même, aux autres et à tout ce qui existe. Le temps qu'on prend pour simplement « être ». C'est alors que les sens se réveillent et que les merveilles sont sous nos yeux. Prendre le temps de goûter la paix, de jouir de ce que l'on a, peu ou beaucoup, d'écouter le mouvement de notre esprit, qui subtilement invite à entendre… à regarder, à toucher, à sentir, à goûter… Le mouvement de spiritualité est à notre portée, il est là au cœur de nous-mêmes, il est là pour nous rendre meilleurs. Oui, cette présence que nous lui donnerons nous apportera une meilleure qualité d'être... et celle-ci se reflétera ensuite dans le savoir-faire... Savoir être pour savoir faire.

I have a dream
J'ai un rêve
Se donnent la main
Chefs des religions
Les colonnes du temple tombent
S'élève une ère nouvelle
Citoyen d'une laïcité
Imprégnée d'humanité !